Saphia A

Bilqiss

roman

Stock

Photo auteur : © Francesca Mantovani

ISBN 978-2-234-07796-6

À Julien.
Pour Karim.

Chanter, c'est prier deux fois.

Saint Augustin

Une quête de savoir vaut mieux
qu'une vie entière de prière.

Le prophète Muhammad

I

« Contrairement à vous, je ne parlerai pas en Son nom. Mais j'ai une intuition. Vous adorez Dieu mais, Lui, Il vous déteste. »

Un tonnerre de protestations se répandit dans la salle d'audience jusqu'à couvrir la voix, pourtant grave, du juge qui réclamait le silence. Du silence immédiatement. Un silence radical puisque c'était son préféré. Silence qui ne revint plus ce jour-là et qui l'obligea à ajourner la séance.

J'allais bien entendu perdre ce procès. Je ne l'envisageais pas comme mon procès, plutôt comme une mascarade de plus dans mon pays déjà mort, mais que personne n'osait prévenir. Je laissais ces gredins en robe blanche, au front fièrement tatoué, s'essouffler sur des discours ankylosés qu'ils débagoulaient avec l'énergie de la haine, propre à ceux qui abominent les femmes parce qu'elles ne sont pas des hommes. Je réfutais toutes les charges qui pesaient sur moi puisque je ne me considérais pas comme l'actrice de ma vie. Elle m'avait été confisquée à ma naissance.

Déjà, après l'accouchement, on aurait pu prédire les quelques emmerdes qui allaient parsemer mon existence. Au lieu d'être accueillie sous les acclamations du voisinage qui n'en finissait pas d'espérer dans la pièce d'à côté, ce fut par un laconique « Ainsi soit la volonté d'Allah » que mon père avait dispersé la foule et mis fin aux festivités. L'accoucheuse, sur le seuil, le visage endeuillé, m'en voulait aussi de ne pas être un fils ; je lui faisais ainsi rater une belle occasion d'être célébrée. Vieille d'une heure et déjà accusée par mon sexe. Je n'aurais pas cru cependant qu'il serait à l'origine d'autant de maux. Rien ne m'a jamais causé plus de tracas. Seulement, cette fois, ce n'étaient plus des coups, des brimades ou des humiliations qui me guettaient pour avoir désobéi, mais bel et bien la peine de mort par lapidation sur la place publique, une sorte de terrain vague au milieu duquel s'amoncelaient les ruines d'une fontaine asséchée. J'étais une femme dans un pays où il valait mieux être n'importe quoi d'autre, et si possible un volatile.

Très vite, j'étais devenue l'attraction du village. Il n'y avait pas de quoi s'en enorgueillir vu la piètre composition de l'assemblée : des vauriens à l'affût, de la racaille avariée, des frustrés sexuels mais pas que, des hommes de foi et de loi redoutables de bêtise et de brutalité, et quelques revenantes accroupies, éparpillées dans les recoins de la salle, toujours sur le qui-vive, prêtes à déguerpir. À l'heure de mon dernier jugement, les imposteurs du divin s'étaient réunis dans ce vieux bâtiment qui n'avait d'officiel que le nom. Les classeurs saturés de peines barbares allaient forcément exploser. Il n'y avait plus la place pour un dossier supplémentaire. J'étais ce dossier et je me réjouissais qu'il fasse dégringoler toute l'étagère. J'essayais de m'en persuader quand j'imaginais ce qui m'attendait bientôt, enterrée jusqu'au cou, sans pouvoir esquiver de mes mains les pierres anguleuses qui allaient transpercer mes tempes. Et puis, lorsque je revenais à moi et que je balayais l'assistance du regard, mon châtiment me paraissait clément s'il était le prix à payer pour échapper à cette abominable faune. On m'avait placée dans une cage pour m'éviter d'être lynchée avant la fin du procès.

Chaque jour donc, on se pressait au procès de la femme. On ne prenait même plus la peine de me compléter d'un adjectif. Ici, chaque femme traîne une foule de qualificatifs malheureux derrière elle, indistinctement débauchée, toxique ou manipulatrice. J'incarnais toutes ces femmes à la fois. J'allais payer pour toutes ces femmes à la fois. Seule dans ma cellule, je m'interdisais de pleurer. Je me forçais à ne rien laisser transparaître de ma terreur car, par moments, j'avoue qu'elle piétinait ma sérénité. Deux hommes accoutrés en gardes scrutaient mon visage pour y lire la détresse et s'en délecter. Deux ignares que je décidais de ne pas renseigner en leur tournant le dos pour le reste de la journée. Il y avait de toute façon plus de poésie dans le mur de ciment face à moi que dans leurs trois yeux malades. L'un des deux était borgne. La séance avait été reportée au lendemain matin, vers dix, onze heures, peut-être onze heures et demie, ça n'avait pas d'importance puisque l'avenir ne leur appartenait plus depuis longtemps.

Allongée sur mon lit à barreaux, je suppliais Dieu d'exister vraiment. Avant d'affronter la nuit, et comme tous les soirs pour retarder les cauchemars, cela me plut d'imaginer, sans aucune humilité, mon arrivée triomphale au paradis. J'avançais d'un pas lent vers la lumière, acclamée par une foule d'élues. Je découvrais parmi elles des visages familiers – certaines étaient natives de mon village, j'en avais aperçu d'autres dans les journaux, parfois même internationaux. D'un même geste, elles dispersaient sur mon passage des pétales de lys et des branches de vétiver (mes senteurs préférées), l'une couvrait mes épaules d'une abaya en gazar carmin (ma couleur favorite), une autre me ceignait la tête d'une fine couronne d'émeraudes, une petite fille s'accroupissait pour me chausser de sandales brodées et un homme, d'une beauté éblouissante, approchait sa main de ma bouche pour y verser une gorgée de vin français. Avant de rouvrir les yeux sur les deux vilains qui gardaient ma cellule, je me permis un baiser délicat sur les lèvres pleines de l'homme à la carafe. Voilà à quoi ressemblait le début de mes nuits. Le scénario était plus ou moins identique chaque soir. Mais le goût des lèvres de mon amant, jamais le même. Et comme tout était permis dans ma tête, j'embellissais la scène de jour en jour.

Onze heures du matin. Le juge m'invita à me lever. Il continuait à agir comme s'il s'agissait d'un vrai procès. Un ton solennel, des silences cadencés, une réflexion exagérément soulignée, il faisait taire l'assistance quand je prenais la parole. Lorsqu'il me demanda si je voulais un avocat, telle fut ma réponse :

« Non, monsieur le juge, je vous remercie mais je me passerai de la défense de quiconque. Je n'ai rien fait de mal, je n'ai donc pas à me défendre, seulement à vous répondre, et encore parce que j'y suis forcée. Je n'ai jamais eu besoin que l'on s'exprime à ma place. Il existe, dans ma religion, un principe d'égalité absolue face à Allah. Il n'y a qu'à Lui que je doive rendre des comptes et il n'y a que Lui qui soit apte à me juger. Vous pouvez continuer à prétendre Le représenter, mais cette imposture ne me concerne pas. Je ne suis pas dupe de votre dévotion. »

Je me rassis sous les huées attendues de la salle. Je pensais qu'on viendrait m'arracher à mon siège sans attendre pour me conduire jusqu'au trou de la place publique, mais rien de tel ne se produisit. Le juge laissa s'écouler un long silence et, pour la première fois, il ne me sembla pas contrefait. Tandis que la foule s'indignait contre mes propos en brandissant vers le ciel des index sales et, depuis le temps, courbaturés, je captai dans le regard du juge une sorte de malaise. Une émotion inhabituelle semblait le traverser au moment où je me retournai vers lui. La confusion dura encore quelques secondes quand il parvint à reprendre la parole et à obtenir le silence. Toujours le même. Le radical. Le seul qu'on lui avait appris après tout. À la déjà longue liste des accusations qui pesaient sur moi s'ajoutèrent des propos blasphématoires à l'encontre de la religion. Je ne les contestai pas. Ça m'évitait d'avoir à me relever.

Après plusieurs jours de procès, les charognards commencèrent à s'impatienter. À la fin de chaque audience, on attendait le verdict du juge qui, sans surprise, devait confirmer la lapidation requise par mes accusateurs. En une semaine et une fois ma maison saccagée, ils avaient accumulé plus de charges contre moi qu'il n'y avait de pierres pour me châtier. Un expert en droit islamique avait répertorié une vingtaine d'infractions au code de bonne conduite. C'était son moment de gloire. Il déclamait, plein de fatuité, tous les délits qu'il avait relevés chez moi : du maquillage, des chaussures à talons, de la lingerie féminine dont un bustier en dentelle, un portrait d'homme, des journaux, un recueil de poésie persane, du gingembre, une bougie parfumée, des cassettes de chansons, une peluche, des collants, un parfum, une pince à épiler et une ribambelle d'autres choses inappropriées. Je savais que tout ce qui pouvait tenter les hommes était proscrit, donc je ne m'offusquais pas de la longueur de la liste. Je savais aussi que s'épiler les sourcils était interdit puisque ça altérait la création de Dieu. Il ne fallait rien dénaturer et revenir à Lui comme Il nous avait créés. Bien entendu, cette règle ne s'appliquait pas aux femmes dont les visages, après la lapidation, parvenaient en lambeaux à Sa porte. Elles, on avait le droit de les défigurer à souhait, pourvu que l'on ne redessine pas la courbe de nos sourcils.

Ces idiots avaient aussi confisqué mes cassettes d'Abdelhalim Hafez ainsi que les poèmes de Hafez que j'avais enterrés dans mon potager en nourrissant l'espoir qu'ils feraient ensemble des bébés. Pour cela, je risquais une vingtaine de coups de fouet. Car, comme la musique et la poésie détournaient de Dieu le cœur du croyant, les autorités avaient brûlé la bibliothèque de la municipalité et la seule échoppe qui diffusait encore Oum Kalsoum. Les peluches qui décoraient ma chambre à coucher et qu'ils avaient déjà amputées rallongeaient le châtiment d'une dizaine de coups. J'avais eu beau leur expliquer qu'il ne s'agissait pas de reproductions d'oursons, ils ne les avaient pas épargnées. En effet, comme les bouddhas de Bâmiyân, les nounours avaient été sacrifiés au motif qu'on ne représentait rien qui ait une âme dans la religion. Enfin, comme une femme n'avait pas le droit d'acheter des légumes entiers de forme phallique (il fallait que le maraîcher les prédécoupe au marché), des aubergines et des courgettes s'ajoutèrent à la liste de mes péchés. Mille autres absurdités provenant d'esprits aussi désaxés que malades aggravèrent mon cas mais, au bout d'un moment, plus personne ne comptait. Plus personne ne prêtait attention à la perversion dans laquelle se vautraient nos législateurs, dont la dernière fumisterie en date n'avait d'égale que leur déliquescence morale : en effet, depuis quelque temps, en pleine rue, les agents avaient aussi le droit de nous arrêter, nous les femmes, et de nous faire sautiller devant eux pour s'assurer que nous ne portions pas de soutien-gorge, symbole sexuel par excellence. Il fallait alors qu'ils puissent distinguer nos tétons s'agiter sous notre tunique et, une fois rassurés, ils nous donnaient un coup de bâton pour nous faire déguerpir. La plupart des hommes se baladaient avec un bâton aujourd'hui, un bâtonnet pour les plus délicats. Un peu comme si c'était le prolongement de leur sexe, ils le brandissaient ou le tripotaient selon qu'une femme passait ou qu'ils flânaient entre eux dans le village.

« Je me demande, monsieur le juge, lequel de lui ou de moi est le plus toxique pour voir un phallus dans une aubergine ? J'en déduis aussi que M. Karzi est bien immodeste pour faire un rapprochement pareil avec sa personne. La prétention est un péché, monsieur Karzi. »

M. Karzi, mon principal accusateur, se jeta sur ma cage et tenta de me griffer avec rage. Il aurait voulu se déboîter une épaule pour qu'elle s'insère entre deux barreaux. Le juge le sermonna et lui rappela qu'il s'agissait d'un procès équitable où la parole de chacun devait être respectée. Il lui rappela aussi pour le calmer que j'allais « probablement » être condamnée et qu'il aurait le privilège de me jeter la première pierre car, en effet, j'avais tout d'une insolente. Il ajouta, en s'adressant à moi, que j'avais encore la possibilité de m'excuser. Je déclinai l'offre d'un sourire.

« Monsieur le juge, puis-je vous rappeler la sourate 88, verset 21. Dieu a dit : "Tu n'es qu'un messager. Et tu n'as point d'autorité sur eux. C'est à Nous de les juger et de les rétribuer sans rien omettre de leurs actions." Alors, je vous le demande, vous prenez-vous pour Dieu ? Vous vous octroyez une tâche divine. Dieu vous a-t-il donné une procuration pour me juger ? Puis-je la voir ? »

C'en était trop. On réclamait de toutes parts ma condamnation immédiate. Mais, à la surprise générale, le juge donna l'ordre qu'on me ramenât jusqu'à ma cellule une fois la salle évacuée.

Je pouvais entendre les mugissements qui se prolongeaient à l'extérieur du bâtiment. Dans ma situation, ils compensaient un peu ma détresse. J'aimais les faire sortir de leurs gonds. Cela dit, ça n'était pas compliqué.

Je ne savais pas encore quoi, mais il se passait une chose étrange entre le juge et moi. Je le connaissais de réputation. C'était un ancien charpentier reconverti dans le droit islamique, maintenant que nos maisons n'avaient plus de toit et que l'époque n'était plus aux débats. Il avait commencé comme petite main dans une école coranique clandestine. Il avait récité par cœur et sans culotte des sourates amputées, appris des versets comme on apprend le code de la route, dansé le soir venu pour des notables répugnants et s'était fait battre lorsqu'il avait voulu que ça s'arrête. À l'adolescence, afin d'échapper à son infortune et parce que les métiers de foi connaissaient une vague de saturation, il avait appris à construire des charpentes. Le soir, il rentrait chez lui fatigué, quand les mollahs, eux, rentraient repus. Et puis la situation dans mon pays avait dégénéré. La guerre s'était installée dans nos vies comme un colon dans un salon. Le chaos avait fait un enfant au désespoir et nous avions péri à l'accouchement. Seuls les plus rêches avaient survécu, pour former la sale engeance qui me jugeait aujourd'hui.

Le juge était ce qu'on appelle un homme respectable. Parfois, je le voyais passer devant chez moi, retranchée que j'étais derrière un moucharabieh, à tuer le temps comme je pouvais. Il égrenait une à une les perles enfilées de son chapelet puis, à la septième, le faisait ballotter tout entier de gauche à droite jusqu'à ce qu'il s'enroule autour de son index.

Mon ancien mari avait été son chauffeur. C'est comme ça que je l'avais rencontré. Sa femme – que je connaissais déjà – était dépressive parce qu'il était déprimant. Bien entendu, personne ne le formulait ainsi. À cette pathologie d'Occidentales, on préférait avancer la folie. On le plaignait parce que sa femme était folle mais, lorsqu'il s'agissait d'elle, la compassion détalait. Personne ne se demandait comment, concrètement, on pouvait pleurer nuit et jour sans interruption. Les hommes disaient : « Une folle possédée par le diable. » Les femmes : « Quelqu'un d'accablé par une immense tristesse. » Lorsque je lui rendais visite pour lui apporter ses courses ou des broderies terminées, elle cessait de pleurer le temps de me déclamer en douce quelques vers de son poète préféré, Djalâl Al-Dîn Rûmî. C'était une femme d'une grande culture, elle connaissait des choses d'ailleurs. Avant d'aller si mal, elle avait enseigné à l'école où j'allais enfant. Elle nous avait appris l'anglais, la poésie et l'histoire. Parfois, elle débordait de son rôle d'institutrice pour se transformer en conteuse magnifique. Elle avait une prédilection pour les histoires d'amour hors normes, comme celles de Roméo et Juliette, de Cléopâtre et Marc Antoine, de Majnoun et Leila. Malgré son enthousiasme, à la fin de chacune d'elles, elle nous mettait en garde contre nous-mêmes, afin qu'on ne se méprenne pas. Ce qu'elle aimait avant tout chez ces personnages, au-delà du romantisme évident dont ils étaient les garants, c'était leur acharnement. Comme une résistance à la règle où les abdications avaient des allures de victoire et les victoires, un goût de renoncement. Elle s'appelait Nafisa, et c'était aussi grâce à elle si j'étais une femme déterminée aujourd'hui. Je lui devais beaucoup de ce que je savais même si elle avait disparu trop tôt de ma vie. À treize ans, on m'avait interdit d'aller à l'école. L'année suivante, elle avait été brûlée pour incitation à la débauche. Je n'avais donc raté qu'une année d'enseignement. Ce fut une maigre consolation. J'aurais aimé côtoyer ma professeur davantage mais un jour, elle s'était mangé les veines parce qu'on lui avait confisqué le moindre couteau. Pour qu'on ne se fasse pas prendre et couvrir sa voix, je faisais semblant de lui expliquer mon travail lorsque j'allais la voir, mais j'écoutais en fait sa poésie :

Le souci que j'ai de toi rend chaque jour mon cœur plus plaintif,
Mais ton cœur sans pitié est chaque jour de moi plus las,
Tu m'as abandonné mais mon chagrin ne m'abandonne pas,
À dire vrai, mon chagrin est plus fidèle que toi[1].

Aussitôt partie, elle replongeait dans une désespérance dont elle ne ressortait que le jour d'après, vers midi, quand je lui apportais du lait de brebis ou des *golchis*. J'entrapercevais parfois le juge passant d'une pièce à l'autre sans adresser la parole à sa femme, non parce qu'il la détestait mais plutôt parce que ça ne se faisait pas. Un mot doux, un sourire, un regard encourageant, une question anodine, plus rien ne liait un couple marié à part le coït et les reproches. Le juge ne semblait pas méchant, il me donnait au contraire l'impression d'être brave. Brave et réglé. Réglé et maté. Maté par des maîtres successifs qui, un fouet dans une main et le Coran dans l'autre,

1. Vers de Djalâl Al-Dîn Rûmî.

transmettaient, avec la grâce d'un pachyderme, des versets trop délicats pour leurs oreilles bouchées. Minables théologiens qui retiraient à de pauvres enfants leur innocence comme on retire une dent cariée avec une pince et une gifle pour faire diversion. Le juge avait été l'un d'eux. Issu d'une famille pauvre, il avait été cédé à une personnalité honorable du village (les pires), qui devait prendre en charge son éducation et lui faire mettre la main à la pâte... Comme tout était une question d'interprétation chez nous, cette dernière faveur laissait libre cours à l'imagination de chacun. Je n'oubliais pas que ce juge avait été un enfant mignon autrefois. Aujourd'hui, pourtant, il allait ordonner qu'on me lapide.

J'entendis la porte s'ouvrir, vis les gardes se redresser avec déférence puis la porte se refermer. Dans la pénombre, je ne distinguai pas tout de suite l'identité de mon visiteur mais, à la réaction des deux sagouins, je compris qu'il s'agissait de quelqu'un que l'on devait craindre. Il commença par bénir les lieux puis tira à lui un tabouret, s'y assit et me regarda à la dérobée. Le juge en personne venait me rendre visite. Pourquoi était-il là ? J'avais, cela dit, raison sur un point. Il se passait bien quelque chose d'étrange entre lui et moi. Il entama une courte prière, l'entrée en matière bien commode de n'importe quel lâche, puis implora Dieu de lui pardonner de se retrouver seul à seul avec une étrangère. À force de lancer des fatwas dans tous les sens et, dans son cas, de les autoriser, plus personne n'osait un pas sans risquer un coup de fouet ou une pendaison. La seule solution pour qu'un homme et une femme, étrangers l'un à l'autre, puissent être réunis dans une même pièce était la suivante : il fallait à l'homme téter le sein de la femme pour qu'ainsi elle devienne sa mère de lait et qu'une filiation appropriée les unisse. La perversité de ces hommes était sans bornes. Notre capacité à endurer aussi. Cependant, et pour ne pas tenter le diable, je me gardais bien de rappeler cela au juge.

« Il vous suffit de demander pardon, Bilqiss, et je ferai tout pour vous éviter la mort.

– Pourquoi feriez-vous cela ? »

Il prit bien entendu un peu de temps pour répondre. Il croyait sans doute que j'étais le genre de femme à me jeter sur n'importe quelle occasion pour rester en vie, et à n'importe quel prix. Sans grande surprise, il se défendit d'en tirer une satisfaction personnelle.

« Pour Allah, bien sûr.

– Tout ce que vous faites, c'est toujours pour Lui ?

– Évidemment !

– Il n'y a pas une chose que vous fassiez pour vous ?

– Jamais ! Toutes nos actions doivent Lui rendre grâce.

– Vous ne trouvez pas que c'est immodeste de Sa part ? Pensez-vous vraiment qu'un Dieu juste, sage et intelligent créerait une espèce humaine uniquement pour Lui rendre grâce à longueur de journée ? »

Pour la forme, il se fâcha, il me menaça et exigea que je demande pardon sous peine d'être fouettée. Pourtant, il ne se levait pas, ne s'en allait pas. Il restait assis sur ce tabouret, comme avide d'être malmené encore. Il réclamait à demi-mot mes mots entiers, imprudents, dépourvus d'emballage spirituel et qui, contrairement aux siens, ne s'abritaient pas derrière mille interprétations pour être compris. Au fur et à mesure de notre tête-à-tête, il s'apaisa, cessa de tout ramener à Dieu, et me posa des questions pour comprendre ce qui m'avait poussée à faire ça. Cet acte. Cette folie. Ce suicide. Mes réponses et l'absence de motif qu'elles révélaient le sidéraient. Avec moi, il réintégrait un monde que les mollahs nous avaient confisqué : celui où l'on faisait des choses juste comme ça. « Il y a donc encore des gens qui font des choses juste comme ça », semblait-il se dire avec stupeur. Il restait vigilant malgré tout et se réaffirmait de temps à autre dans une posture sévère pour me montrer qu'il ne se laissait pas éblouir par ma fantaisie. Pourtant, c'était de cela qu'il aurait eu besoin. Lui comme tous les autres. De fantaisie. D'un peu de frivolité qui ferait dérailler leurs automatismes, d'un zeste de folie qui donnerait du relief à leur prétendue sagesse, et d'un soupçon d'inconséquence qui insufflerait à leurs actes de la générosité. Donc voilà, j'avais fait quelque chose juste comme ça et, pour cette raison, j'allais être lapidée. Avec du recul, c'était insensé. Mais, lorsque je l'avais fait, rien ne m'avait semblé plus naturel.

Un matin que le muezzin sommeillait encore et que je ne dormais pas puisque je ne dormais plus, j'avais, de ma voix unanimement célébrée, appelé moi-même les fidèles de mon quartier à la prière. Voilà ma faute. Je n'aurais jamais songé à la commettre si le destin n'avait pas toqué à ma porte. Mais il le fit et je ne regrette rien. Isolée en contrebas d'une colline, ma maison, pourtant très éloignée de la leur, fut celle que sa femme choisit pour demander de l'aide. Elle y fit irruption à l'heure de la prière de l'aube et me supplia de faire quelque chose. Elle m'entraîna jusque chez elle, où je découvris le muezzin amorphe au pied de leur lit. À nous deux, nous avions essayé de le réveiller mais les hectolitres d'arak qu'il avait engloutis la veille l'empêchaient de se mouvoir. « D'habitude, je parviens à le réveiller mais, ce matin, il ne bouge plus », s'exclama-t-elle. Elle savait que personne n'oserait accabler un homme de foi. Son vénérable époux. L'inégalable muezzin du quartier. Elle, en revanche, tout le monde la bannirait aussitôt. Je le savais. Avant de partir, on le retourna sur le dos en nourrissant l'espoir qu'il s'étoufferait avec son vomi. En allant alerter l'imam de la mosquée voisine, il me vint une idée folle. Et puis l'envie prit le relais jusqu'à devenir une évidence. Je cavalai alors jusque devant le minaret, en ouvris la porte, et escaladai les marches inégales et tortueuses jusqu'au sommet de la tour. J'étais d'ailleurs étonnée qu'elles n'aient pas dissuadé le muezzin, goitreux et pansu, de s'y rendre cinq fois par jour depuis dix ans qu'il y officiait. Avec sa voix nasillarde, il poussait des cantillations dépourvues de grâce qui nous extirpaient sans ménagement de notre seul moment de paix, à cinq heures du matin, et c'est le cœur lourd que les fidèles, méritants, rampaient jusqu'à leur tapis pour s'acquitter de leur prière quotidienne. Je commençai ainsi :

Allah est le plus grand,
J'atteste qu'il n'y a de Dieu qu'Allah et que
Muhammad est son messager,

Venez à la prière, venez à la félicité,
La prière est meilleure que le sommeil,
Allah est le plus grand,
Il n'y a de vraie divinité hormis Allah.

La hauteur me donnait des ailes et c'est sans réfléchir que je me mis à amender ici et là des passages un peu trop doctrinaux pour les enrichir de nuances, de miséricorde et de quotidien.

La prière est vertueuse et le sommeil récompense les vertueux et les honnêtes travailleurs, les deux sont aussi importants dans la vie d'un croyant car Allah se réjouit de voir des hommes pieux et des femmes pieuses mais il se réjouit surtout de voir le croyant qui accomplit quelque chose, comme toi, le boulanger, que je vois marcher vers ton échoppe et qui t'en vas pétrir ton pain pour nourrir ta communauté, toi, le maraîcher, qui dispose ta récolte sur ton étal pour être le premier et le mieux placé au marché, toi, le gardien de nos jardins, qui les alimente équitablement en eau toutes les heures pour qu'ils soient luxuriants, toi, je te vois aussi, le professeur d'histoire et de géographie qui corrige tes copies à la lumière d'un réverbère pour que les garçons, au moins eux, apprennent malgré tout que le monde est vaste et non figé, je vous vois tous d'où je suis et je crois qu'Allah a pour vous beaucoup d'amour même si vous oubliez de prier ce matin. Dieu est grand.

Grâce à la vue panoramique qu'offrait le minaret, je vis les foyers s'éclairer les uns après les autres, comme une immense guirlande de Noël qui clignote. Je continuai à déclamer l'*adhan* sans me préoccuper du reste, jusqu'à ce qu'il s'invite de lui-même. Le maraîcher s'arrêta un instant, le boulanger revint sur ses pas, le professeur fit tomber ses copies et le jardinier se trompa en débarrant le mauvais canal. Portée par une sorte de lévitation mystique, j'ignorai volontairement les premiers signes du drame qui se profilait. Il y eut d'abord du silence, comme chaque fois que le chaos approche. Un silence angoissant pour qui sait lire l'imperceptible. On ouvrit les fenêtres pour s'assurer entre voisins qu'on n'était pas devenus fous, puis les portes pour vérifier que la terre était toujours sous nos pieds. Un grondement féroce se fit de plus en plus distinct. De ma voix imparfaite mais veloutée (c'est ainsi qu'on la décrivit les jours suivants), j'avais provoqué l'ire des villageois. Je constatai, et on me le confirma par la suite, que les plus séduits furent aussi les premiers à me fustiger.

« Vous saviez ce qui vous attendait ?

– Je ne m'en préoccupais pas. Je l'ai fait juste comme ça. Ça vous dépasse, n'est-ce pas, monsieur le juge ? En faisant régner la terreur dans nos vies, vous et vos complices nous avez rendus fous à lier. Vous ne pouvez pas à présent nous reprocher de commettre des actes qui défient l'entendement. À vrai dire, c'est un peu vous qui m'avez conduite en haut de ce minaret. Vous êtes mon impulsion. Bonne nuit, monsieur le juge. »

Toujours très appliqué à faire comme si nous nous trouvions dans un vrai procès, le juge insista ce matin-là pour que l'on revienne sur ma situation générale car, disait-il, il voulait, pour être le plus objectif possible, ne rien négliger de mon parcours. Il se documentait dans des séries policières venues de Turquie qu'il passait son temps à regarder entre deux prières. Les villageois n'étaient pas habitués à autant de chichis, surtout à mon égard. Ce qu'ils attendaient, après tout, c'était de me tuer : se désaltérer avec mon sang, se gargariser avec mes larmes, valser au son de mes hurlements et bénir mon ultime gémissement. On ne venait pas au procès d'une femme déjà condamnée si ce n'était pour le plaisir. Pour d'autres, il s'agissait seulement d'une récréation, d'un passe-temps, peut-être même d'une anecdote banale à colporter sur le chemin du marché. Mais la plupart d'entre eux, ceux des premiers rangs, les charognards en meute, ceux qui espéraient jeter la pierre qui ferait la différence, eux, ils étaient là par conviction et ils me haïssaient par nécessité. J'étais le pivot sur lequel reposaient toutes leurs croyances. Si je devenais le bien, leur monde s'écroulerait et, avec lui, leur destinée. Il fallait à tout prix que j'incarne le mal absolu.

« Accusée, levez-vous ! »

Ce que je fis.

« Parlez-nous de votre mariage avec cet homme bon que vous avez épousé et qui est mort l'année dernière d'une mauvaise chute.

– Il n'y a rien à en dire, monsieur le juge.

– Parlez ! J'ai besoin de savoir. Nous avons besoin de savoir qui vous êtes et pourquoi vous faites ce que vous faites. »

Il s'emporta mais se reprit en incluant toute l'assemblée dans sa question. Je laissai passer quelques secondes sans savoir quoi dire. On me posait juste une question à laquelle je n'avais jamais songé car nous, les femmes de ce pays, on ne commentait pas ce genre de chose, on faisait ce qu'on nous disait de faire et ensuite on pleurait dans un coin.

J'avais treize ans lorsqu'on me maria à un homme vieux et ventripotent. Il n'était pas si âgé à dire vrai, mais il avait le visage buriné par le vent affronté sur les bateaux de pêche. Il avait été pêcheur avant d'être homme à tout faire. Il avait quarante-six ans. Ce fut horrible de l'épouser. Répondre cela était trop attendu par mes détracteurs, alors je choisis de les renseigner sur une autre facette de mon mariage.

« Monsieur le juge, vous avez été charpentier, n'est-ce pas ? Alors essayez de faire rentrer une vis de 10 dans une cheville de 2. Voilà ce que je retiens de mon mariage avec cet homme si bon. »

Comme la plupart de l'assistance était composée d'idiots, il leur fallut un long moment avant de comprendre ma métaphore qui, sans surprise, déclencha une clameur de haine dans toute la salle. Ils se mirent à me cracher dessus en masse, si bien que je revêtis vite ma burqa sous laquelle, pour une fois, j'étais contente de me trouver. Le juge profita de cette agitation pour lever la séance et les envoyer déjeuner. Les deux gardes mangèrent devant moi le repas qui m'était destiné. Je dus une fois de plus me nourrir de poésie...

Le plus fou dans cette histoire, c'est que tout le monde croyait à la mort naturelle de mon mari, alors qu'en réalité je l'avais achevé à coups de poêle à frire un jour qu'il avait une main dans sa poche et l'autre sur mon visage.

Il avait pris l'habitude de me bousculer pour un rien quand il errait dans la maison sans savoir quoi faire, toujours à l'affût d'un faux pas de ma part afin de me malmener et de sortir dépenser nos maigres économies au café. Mais un jour, pourtant semblable à la veille, je répondis à sa baffe par un puissant coup de poêle latéral qui le fit tituber puis tomber par terre. La surprise, mêlée à la douleur, l'empêcha de se relever, ce qui me permit de frapper encore plus fort de l'autre côté. J'avais, grâce aux centaines d'heures passées à nettoyer les vitres de ma maison, un bras si athlétique que je n'eus pas à porter un troisième coup. Sa gifle n'avait pas été plus terrible ni plus injustifiée que les autres mais, j'ignore pourquoi, je décidai, au moment où je la reçus, qu'elle serait la dernière.

Rien dans la journée n'aurait pu le laisser présager. Ce matin-là, comme beaucoup d'autres, il me réveilla en se vautrant sur moi, puis je lui préparai son petit déjeuner, qu'il ne trouva pas bon. Il manquait ensuite, dans la lessive de la veille, sa chemise verte, celle qu'il avait, comme par hasard, décidé de porter. Le jour précédent c'était la bleue. Au déjeuner, il m'accusa une fois de plus de vouloir l'empoisonner.

Pendant sa sieste, je préparai le dîner. Je fourrais des samoussas de fromage de chèvre et d'épinards quand il survint derrière moi et me tira les cheveux. Il me fallut quelques secondes pour me ressaisir et comprendre quelle erreur j'avais bien pu commettre. Tout en continuant à me secouer, il jeta mes petits triangles de pâte feuilletée à travers la pièce en répétant qu'ils étaient péchés. Je n'étais pas au courant de cette nouvelle interdiction mais apparemment, une fois cuits, se dessinait sur le dessus des samoussas une forme qui s'apparentait à une croix chrétienne. Une fatwa condamnait cela. Sans réfléchir, j'attrapai la poêle en fonte dans laquelle je frisais des lamelles de courge et la retournai de toutes mes forces contre sa figure. Du sang s'écoula de son oreille et son nez, frit par l'huile bouillante, se rétracta comme du pop-corn caramélisé. Je n'éprouvai rien sur le moment. Je le regardai, gisant immobile sur le sol de ma cuisine, incapable de me concentrer sur la bonne chose à faire. Je ne savais pas si c'était grave, mais c'était nécessaire. L'inconséquence a parfois du bon.

Je déplaçai son corps dans le vestibule, mis les samoussas au four, fis chauffer de l'eau et disposai les douceurs des grandes occasions dans une assiette. Sur le canapé du salon, un cratère me rappela l'assiduité avec laquelle mon mari siestait et, en m'enfonçant dedans, sa corpulence. Par chance, un épisode de *Fatmagül*[1] démarrait tout juste. Pour une fois, je n'eus pas à le regarder sur un pied, avec l'angoisse de me faire pincer.

Le lendemain matin, profitant des quelques secondes nébuleuses qui achèvent une bonne nuit de sommeil, je pris encore un peu de temps pour moi avant de réintégrer ma réalité. Lorsque je n'eus plus le choix (il était presque midi), je m'en remis à Dick Stone et à son acolyte le sergent Ramirez. Une annexe de ma maison, parce qu'elle était souterraine et très isolée, servait de refuge à des soldats américains qui venaient y fumer du haschich ou d'autres choses. En contrepartie, ils me laissaient utiliser leur ordinateur connecté à internet grâce à une antenne spéciale qu'ils m'avaient appris à manipuler, ce dont j'abusais pendant leurs absences. Je leur confessai mon crime aussi naturellement qu'ils évoquaient leurs « extras » devant moi, sans crainte qu'ils s'en offusquent. Ils m'aidèrent alors à maquiller le meurtre en accident puisque c'était leur spécialité. Il ne me resta plus qu'à alerter la police et à pleurer comme si ça venait d'arriver. Le travail était si impeccablement exécuté qu'on me témoigna

1. Série télévisée dramatique turque.

même de la sympathie. La mosquée organisa une quête et le quartier redoubla d'attentions à mon égard.

Bien entendu, ça ne dura pas. Le cycle infernal de la sauvagerie reprit son cours. On pendit sur la place publique, celle-là même qui allait m'accueillir pour me lapider, huit hommes innocents : des mouchards, des voleurs et, parmi eux, un dépravé.

« Un putain de musulman en moins sur la terre. En plus de tous ceux qu'on va dégommer avant de partir. Quand je me demande ce qu'on fout là, Dick, rappelle-moi ça, OK ? »

Tandis qu'ils cognaient le front de mon mari contre le sol pour faire croire à une chute du toit de notre maison, les deux soldats s'étaient laissés aller à proférer des saloperies sur tous les musulmans de la terre, dont la principale tare, selon le sergent, était d'avoir des gènes de musulman. Je savais que l'Amérique ne dénichait pas ses hommes parmi l'élite de la nation, mais de là à s'aventurer dans des réflexions scientifiques, je le trouvais bien ambitieux. Seulement nous partagions un intérêt commun et, au nom de cela, nous collaborions. Je ne me formalisais de rien et, en échange, ils oubliaient que j'étais une putain de musulmane. « Ouais, mais elle c'est pas pareil, elle parle anglais déjà ! » Je parlais tellement bien anglais que je répertoriais tous leurs « extras » dans un carnet, avec la date, le nombre de morts et le scénario mis en place pour que cela soit classé dans le dossier confidentiel des « dégâts collatéraux » sans jamais être inquiétés par leur hiérarchie. Ils déambulaient à travers nos ruelles poussiéreuses, la crânerie patriotique devançant chacun de leurs pas, capables du pire comme du meilleur, avec un gros penchant pour le pire. Je leur louais donc ma pièce souterraine contre quelques heures d'internet quotidiennes et un peu de mon intégrité. Les fois où vraiment j'entendais des horreurs, je me persuadais qu'un jour ce carnet servirait à quelque chose. Le reste du temps, je me contentais de les imaginer dans dix ans. Pourquoi pas dans cinq après tout. Dans un avenir proche en tout cas. À force de faire brûler leurs déchets dans des décharges à ciel ouvert au sein même de leurs casernes, ces soldats respiraient tous un air extrêmement pollué. Ils ignoraient les graves lésions dont ils allaient bientôt être victimes. Je me consolais avec ça et je pariais intérieurement qu'à son retour au pays, le crâne cotonneux et le corps vicié, le sergent Ramirez donnerait tout ce qu'il possédait pour échanger ses gènes avec ceux d'un musulman.

Dick, lui, n'attendrait pas son retour au pays pour défaillir. Bourré de psychotropes et irrigué au Red Bull, je pressentais un pétage de plomb imminent chez cet homme fragile qui se confiait à moi pendant que son pantalon, son caleçon et ses chaussettes séchaient sur un fil au soleil dans mon jardin. Il se faisait régulièrement dessus lors de ses missions et, depuis peu, pendant ses rondes aussi. Pour ne pas alarmer sa hiérarchie, c'était chez moi qu'il venait se laver tandis qu'il me racontait sa vie d'avant, « pas incroyable, mais quand même vachement plus peinarde qu'aujourd'hui ».

Je l'avais rabroué un jour qu'il avait voulu fanfaronner devant ses camarades soldats. À l'époque, je faisais des heures de ménage dans leur caserne et Dick, porté par le crétinisme qu'une réunion de blaireaux peut révéler, avait fait une remarque sexiste à mon endroit. Il n'en avait pas fait deux. Depuis nous avions fraternisé pour des raisons à peine différentes : moi pour plus de confort, et lui contre du réconfort. Paumé, Dick était le prototype du soldat qui, s'il ne rentrait pas chez lui triamputé ou dans un cercueil, finirait par exploser la cervelle d'un innocent chez Wal-Mart ou dans un Taco Bell. Il restait vague sur sa vie privée, laissant planer l'obscurité sur ses penchants, mais avec une constante dans le discours : les femmes d'Amérique étaient des salopes qui voulaient l'égalité sans pour autant payer leur part au restaurant. Dick préférait les femmes d'ici, discrètes et humbles, de bonnes mères et des épouses fidèles me dit-il pensant à tort me faire un compliment.

« Oui, et comme il n'y a pas de restaurants ici, lui rétorquais-je, vous ne risquez rien... »

À quatorze heures, le procès reprit. L'avocat de l'accusation commença ainsi :

« Sa voix nous a troublés, monsieur le juge, elle a convoité nos cœurs, elle a provoqué notre âme et a détourné nos fidèles de leurs prières. Il est interdit pour une femme d'élever la voix et elle le sait, cela peut susciter du désir chez l'homme ! Cette femme toxique accumule bien trop de péchés pour implorer votre clémence. Elle ne porte jamais son voile correctement, cela distrait les hommes dans la rue, elle sort de chez elle sans demander l'autorisation de son plus proche voisin, notre vénérable muezzin, elle s'est peint les ongles d'une couleur nacrée, cela a attiré le regard du facteur lorsqu'il lui a remis son courrier, elle porte un bracelet de pied qui résonne quand elle marche, cela émoustille les passants, et surtout, monsieur le juge, lorsqu'elle s'adresse à nous, elle nous défie du regard pour nous séduire. Cette femme incarne le mal, et le mal, on le tue à la source ! »

Le juge me demanda si j'avais quelque chose à répondre. Cette fois, oui, j'avais quelque chose à dire.

« Je suis bien d'accord avec vous, votre honneur, il faut tuer le mal à la source. Donc, si à mon tour j'accumule tous les interdits qu'une femme traîne avec elle à cause de ce que ça provoque dans le slip des hommes, alors oui, il faut tuer le mal à la source ! La source doit même être massacrée. Guillotinée. Décimée. Brisée. Broyée. Hachée. Tranchée. Exterminée. »

Les nigauds prirent quelques secondes avant d'identifier la source dont je parlais, puis d'un mouvement commun, probablement inconscient, ils croisèrent les uns après les autres leurs jambes pour mettre à l'abri leur très controversé pénis. À la stupeur générale, le juge me renvoya en cellule, escortée par les deux vilains. En quittant la salle d'audience, je remarquai des téléphones portables en train de filmer le spectacle morbide de mes dernières heures. Je trouvai cela bizarre mais, comme n'importe qui filmait n'importe quoi aujourd'hui, je ne m'en offusquai pas plus que ça.

Le juge me rendit à nouveau visite dans la soirée. C'était la cinquième fois en une semaine. Il palabra seul tandis que j'acquiesçais dès que ses intonations m'appelaient à le faire. Il s'emporta parce que je ne protestais pas assez, me reprocha de ne pas l'écouter, de ne pas être sincère avec lui comme il l'était avec moi, de tricher, de ne plus croire en lui, de le dépouiller de son instinct, hors de lui aussi parce que, ce soir-là, je restais muette. Je voulais qu'il parle, qu'il se dévoile, qu'il me dise pourquoi il était là presque tous les soirs, alors qu'il était censé me haïr et précipiter ma mort. Il n'avait rien à faire ici, c'était un intégriste. Un homme comme lui n'aidait pas une femme comme moi. Contre quelques piécettes, les deux galapiats tenaient leur langue. Personne ne se doutait que le très respectable juge Hasan faisait des heures supplémentaires à mon chevet. Ses intentions n'étaient pas claires. Venait-il pour me consoler, pour me raisonner ou bien cherchait-il vraiment une solution pour que j'échappe à la mort, comme il le prétendait ?

« Il n'y a pas de solution, monsieur le juge. Je sais reconnaître quand le destin capitule. »

Il s'arrêta, se figea un instant puis revint vers moi, d'un pas lent et maladroit. Il s'assit comme un bon élève sur le tabouret, cramponné à ses jambes et la mine impatiente. Je me plaçai devant lui, le visage coincé entre deux barreaux pour lui donner ce qu'il était venu chercher au fond : une adversaire. S'ensuivit une confrontation ponctuée de blâmes et de provocations comme il les aimait et comme je savais les alimenter.

Nous bataillâmes jusque fort tard. Nos discussions allaient bien au-delà du procès puisqu'il s'enquérait aussi de mon avis sur certaines choses de la vie. De plus en plus consciente de sa dépendance à mon égard, je me permettais de le malmener parce qu'il venait pour ça. Nous savions tous les deux qu'il serait là le lendemain, pour sa becquée nocturne. J'anticipai donc sa prochaine visite vespérale et lui dis d'un ton doucereux : « À demain soir, monsieur le juge. »

Ce fut l'effronterie de trop. Il serra mon poignet de toutes ses forces au point de me faire tomber à genoux. Cela ébranla cet air assuré dont j'aimais me draper quand il venait me voir. Nous repartions ainsi, croyait-il, sur une base équilibrée.

Et puis, à moitié endormie sur ma paillasse, ressassant les événements récents, j'eus une révélation. Je me repassai le film des derniers jours, je me remémorai ses visites nocturnes et ses questions, souvent sans rapport avec le procès, sa complaisance aussi quand j'invectivais la salle. Je me rappelai son visage ressuscité quand les arguments de ma défense indignaient l'audience. Je démêlai le tout et réalisai que mon juge n'était en fait qu'une pâle copie du roi Shahryar, menant à bien ce qu'en termes juridiques on appelait une stratégie dilatoire. On revisitait *Les Mille et Une Nuits*. Moins impressionnant que le sultan dans son costume (seules les broderies au col et aux manches donnaient à sa cape défraîchie un reste de splendeur) et certainement plus pervers, le juge venait donc en secret se faire chahuter par sa condamnée, chercher une excuse. N'importe laquelle. Pourvu que le procès traîne. Pourvu que l'affrontement s'éternise. Certes, je n'étais pas aussi éblouissante que Shéhérazade, mais elle et moi partagions quelque chose de sacré pour une femme prise au piège : la maîtrise de la langue. Celle qui dit, qui fâche, qui fait jaser, qui taquine, qui lèche, qui narre, qui flatte, qui supplie, qui abuse, qui enjolive, qui transgresse puis se rétracte puis retransgresse sans se rétracter. À vrai dire, j'aurais préféré avoir le pouvoir des hommes et manier les mots comme une bègue mais, après mille révolutions, l'ordre ne s'était toujours pas inversé : une femme était intelligente, un homme était puissant.

Au fil des jours, je remarquais toujours plus de téléphones portables dans la salle. Je ne le savais pas encore mais, en Amérique, j'étais devenue une véritable icône. Pour je ne sais quelle raison, un jeune homme avait posté une vidéo de moi depuis un sordide cybercafé de la rue principale. Dans ce lieu, tous les ordinateurs étaient positionnés en cercle, si bien qu'aucun écran n'était visible par le voisin. Parce qu'ils ne pouvaient tout de même pas se masturber sur place pour 15 centimes par minute, d'affreux gamins filmaient avec leurs téléphones des vidéos abjectes qu'ils visionnaient ensuite à l'abri, sous les draps pour les plus chanceux. Mon pays comptait le plus important flux de visites sur les sites pornographiques, au coude à coude avec son voisin et pas tellement au-dessus de la moyenne du monde entier, cela dit.

Autrefois, j'avais vu un de ces films dans la pièce souterraine que je prêtais à Dick et ses comparses. Un jour où j'étais seule à flâner sur le net, je tombai sur un film pornographique où une femme criait : « Non, non ! » Ce à quoi quatre hommes autour d'elle rétorquaient : « Et comment que oui ! » La femme suppliait en répétant : « Non, non ! » Et les hommes disaient : « Écoute cette salope qui dit "oui". » Je crus d'abord à un problème de doublage, mais les scènes suivantes m'orientèrent plutôt vers un problème de langue : un « non » semblait vouloir dire « oui » dans ce genre de films. Les quatre hommes, qui eux, pour le coup, auraient pu comparer leur sexe à une aubergine, se défoulaient sur la jeune fille comme pour la profaner. Ils se stimulaient les uns les autres, complices et associés dans la punition qu'ils lui infligeaient. À la fin, elle ne ressemblait plus à celle du début. Suante, dégoulinante et décoiffée, elle recevait en pleine face des hectolitres de leur sperme, qu'ils répandaient comme des chiens pour délimiter leur territoire et affirmer leur toute-puissance. Ces hommes me rappelaient, en plus sonores, mon ancien mari, qui se congratulait aussitôt qu'il avait terminé de le faire avec moi. Les paupières encore closes, je l'entendais se rendre hommage pour avoir été si performant. Il se félicitait aussi pour la qualité de sa semence, avec laquelle il était persuadé, marmonnait-il, de pouvoir repeupler la terre entière. On en revenait inlassablement à l'obsession du territoire. De l'empreinte. De la domination. Dans beaucoup de pays naître femme était déjà une provocation en soi mais, dans ce film, c'était carrément une agression. Hagarde, l'actrice affirmait en vouloir encore en se pourléchant le menton et les seins avant de recevoir une dernière gifle tonitruante. Je sortis de la pièce barbouillée. J'étais cependant curieuse de savoir si cette vidéo se trouvait par erreur sur l'ordinateur ou bien si Dick et ses amis la regardaient par plaisir. Je n'eus pas à attendre longtemps la réponse puisqu'une nuit, inquiétée par une fanfare inhabituelle, je les surpris en train de la visionner et de se palucher en même temps.

Qu'y avait-il derrière cette violence que, communément, ils appelaient « fantasme » ou « délire entre copains » ? Une trahison peut-être. Faisant écho à celle qui survenait à l'adolescence, quand le grand garçon perdait foi en sa mère puisque, à son tour, il expérimentait sur les filles, potentiellement de futures mères, des choses inavouables. Est-ce que tout cela pouvait être la conséquence d'une simple désillusion ? Celle de pauvres petits garçons qui refusaient à jamais de croire que leurs mamans adorées aient pu « cabrioler » avant d'enfanter ? Pire, pendant qu'elles enfantaient ? Les hommes ne pouvaient-ils pas se faire à l'idée qu'ils étaient peut-être le fruit d'une levrette claquée plutôt que d'un coït à travers un drap avec un petit trou ? Était-ce donc cela que l'on reprochait aux femmes ? D'être des femmes ? Intégralement ?

Malgré son rang, le juge dut gonfler le bakchich qu'il glissait tous les soirs dans la main des deux gardes. Sa présence n'ayant plus rien d'occasionnel, il prenait soin de ne pas se compromettre bêtement. Il me gronda fort ce soir-là parce que je le reçus avec un voile mal ajusté, comme les aguicheuses qui laissaient une mèche de cheveux apparaître. Une mèche qui accompagne naturellement l'ovale du visage, virevolte quand on dodeline de la tête, qui, enroulée autour d'un doigt, donne une contenance, qui parfois se colle aux commissures humides des lèvres, qui s'échappe inlassablement de derrière l'oreille et qui annonce habilement mille autres mèches. Je n'étais pas une très belle femme si l'on s'en tenait aux critères de beauté des hommes de mon pays. J'avais un visage trop expressif pour ceux qui n'aiment pas lire, des yeux trop bavards pour les mêmes qui ne veulent pas entendre, un nez aquilin semblable à celui d'un faucon sauvage et des lèvres extrêmement charnues, si bien qu'elles ne restaient jamais closes très longtemps. En revanche, pour des touristes de passage, j'étais un modèle idéal. Sur mon visage, aucun baratin. Ni douceur ni harmonie. Magnétique, il hurlait d'emblée. C'était parfait pour leurs objectifs sophistiqués car il n'y avait rien à jouer ou à contrefaire. Rien à retoucher non plus. J'étais ce qu'on appelle une beauté tragique au regard puissant. Quelqu'un m'avait dit ça autrefois. Un Anglais, je crois.

« Accusée, levez-vous ! »

Je m'exécutai. L'avocat brandit un portrait pour que la salle entière puisse le découvrir. Il s'agissait en effet de moi. Je devais avoir quatorze ans sur cette photo. Je me souvins instantanément de ce jour-là. C'était la veille de la récolte. Je venais d'inciser les capsules de pavot afin que mon mari en collecte la sève le lendemain. Sur le chemin du retour, j'avais rencontré un aventurier anglais avec un appareil photo. Il portait un gilet et un pantalon en toile kaki avec mille poches. Il me demanda son chemin mais pas seulement. L'air opiacé de la vallée avait grandement atténué ma vigilance puisque, très vite, je me retrouvai à papoter avec un étranger, alors que c'était interdit. «Je suis photographe, j'adore ta culture, ton pays, ses paysages tourmentés faits de steppes et de sable, cette terre de promesses qui ne parvient pas à les tenir, je m'associe du fond de mon cœur à la douleur des femmes et des hommes persécutés de ton pays, et je veux en témoigner sans violence mais avec des visages pour que le monde entier sache ce qu'il est en train de laisser faire... Simplement avec la force de vos visages. Accepterais-tu, jolie enfant, que je prenne le tien en photo... ?»

Trop de mots, trop de peines, trop d'émotions, je négociai sans délai un sourire contre quelques piécettes et tout ce qu'il y avait à lire dans son grand sac à dos. Il m'offrit deux livres, un de Victor Hugo et l'autre d'Edgar Allan Poe, un magazine de photographie et le mode d'emploi de son appareil. J'arrangeai mon voile et commençai, sans le savoir, à poser pour la postérité. Je ne fis rien à part m'imaginer tout ce qu'il pouvait y avoir dans son gilet et son pantalon. À quoi pouvait donc servir une poche plus petite qu'un paquet de cigarettes ? Il se pâma devant mon portrait, baragouina encore quelques mots amènes qu'il compléta d'un billet froissé, puis me remercia chaleureusement, hésitant à me serrer la main, que je rangeai vite dans ma poche pour éviter l'incident. Il s'en alla d'un côté et moi de l'autre.

L'avocat général me demanda d'identifier la personne sur la photographie.

« Oui, c'est bien moi, monsieur.

– Pouvez-vous nous expliquer pourquoi vous avez posé pour un étranger sans votre voile et le visage découvert ?

– Juste comme ça.

– Juste comme ça, dites-vous ?

– Oui, juste comme ça, mais vous ne pouvez pas comprendre », répondis-je en lançant un regard complice au juge.

L'avocat général requit une centaine de coups de fouet pour cette image. J'ignorais totalement que ce portrait existait toujours mais surtout qu'il était célèbre dans le monde entier.

L'avocat rappela au juge que j'avais quatorze ans à l'époque, que j'étais une femme mariée et que j'avais retiré ma burqa devant un étranger. Il rajouta, comme si ça ne suffisait pas pour ce jour-là, que je portais mon foulard comme une garce avec une mèche qui dépassait. Le juge me demanda de le rajuster convenablement.

« Pourquoi faites-vous cela ? me demanda le juge.

– Pourquoi je fais quoi ?

– Pourquoi ne portez-vous jamais votre voile comme il faut ?

– Parce que je suis une éternelle optimiste, monsieur le juge. Et contrairement à celles qui le portent correctement, moi je n'ai pas abdiqué.

– Je ne comprends pas. Abdiqué vis-à-vis de quoi ?

– J'ai encore confiance en vous, messieurs. Je nourris toujours l'espoir qu'un jour prochain vous réussirez à vous dépasser et vous parviendrez à nous considérer tout entières sans avoir une érection. »

Le juge se reprit au moment même où il réprimait un rire. Il prit conscience de la gravité de son acte et hurla comme un chien enragé pour brouiller les esprits et faire oublier son dérapage sonore. Ma cage fut assaillie et l'on déversa sur moi mollards, crachats et graillons sans que je puisse les esquiver cette fois. Le juge ordonna que trente-sept coups de fouet me soient immédiatement administrés sur la place publique. Il s'assura ainsi qu'on oublie totalement qu'il avait ri. Les mollahs s'empressèrent d'attacher la corde à la seule branche assez robuste pour supporter un corps valdinguant trente-sept fois de suite. On me demanda de me déshabiller sous ma burqa pour que rien n'entrave l'endolorissement. Ce que je fis, en pleurs et devant tout le monde. Pourtant, de la salle d'audience à la fontaine, je m'étais juré de ne pas même geindre. Bouffie d'orgueil et persuadée que le bien était de mon côté, je me promis de ne pas flancher. Il fallait à tout prix que je gagne là où ils avaient perdu tout sens moral. Il fallait à tout prix que je sois leur échec.

On m'attacha vigoureusement les mains. Les torons de la corde m'entaillèrent les poignets. Je me concentrai pour ne pas hurler après le premier coup de fouet. J'étais certaine que, une fois la douleur évaluée, je parviendrais à la maîtriser. À la raisonner. À faire qu'elle ne se déchaîne qu'une fois dans ma cellule, à l'abri de leurs regards fouinards. Pour aviver l'effervescence de la foule, les deux gardes frappèrent plusieurs coups à vide, sur le gravier, en psalmodiant des bribes de versets où le Plus Grand était encore et toujours l'invité d'honneur. Ils Lui refilaient le fouet pour se laver les mains. Cette pensée renforça en moi l'envie de ne rien leur accorder, ni une larme ni un son. Le premier coup fut porté à la taille. Il déchira ma chair d'un trait net. La douleur ne me fit pas crédit. Je criai de toutes mes forces et implorai de toute mon âme. Je me fis dessus. Je demandai pardon. À tout le monde. Ma souffrance avait un début mais pas de fin. L'héroïne que j'avais espéré être ce jour-là se transforma en une lamentable loque pendue à une corde. Ma burqa fonça avec mon urine et avant le quatrième coup je pus entendre des gens rire de ça. Vers le onzième, j'arrêtai de compter, incapable de me souvenir de ce qui venait après. J'aurais aimé que le 37 arrive après le 11, mais je savais que ce n'était pas ainsi, j'étais allée à l'école après tout. J'aurais préféré ignorer cela.

Très vite, plus aucun son ne sortit de ma bouche. Ça n'avait rien d'héroïque. Un peu morte, un peu évanouie, je suppliai Dieu qu'ils arrêtent de frapper sur les mêmes plaies boursouflées prêtes à exploser. Lâchement, je m'en remis à Lui, invoquant Sa clémence ou, mieux, une intervention divine. Je crus, à un moment, que mon dos allait se détacher de moi, tomber en lambeaux et glisser à mes pieds. Ma chair était devenue une sorte de steak haché qui s'émiettait au fil des coups. Soudain, un sursaut de frayeur m'envahit : et si, comme il était très probable, les deux crapules qui me fouettaient ne savaient pas compter ? Si, en plus d'être barbare, le juge m'avait collé deux ignares sanguinaires qui prenaient le 37 pour un 89 ? Pire, pour un 208. J'allais être étripée à cause de deux nuls en maths et personne dans la foule n'était capable de les corriger. Je ne me souvins pas du dernier coup puisqu'il ressemblait à tous les autres. Mais lorsque je repris conscience dans ma cellule, j'en déduisis qu'on était arrivé à 37. Ou à 89. Ou à 208.

« Comment vous sentez-vous, Bilqiss ?

– J'ai très mal », dis-je.

Il n'y avait plus de place pour les mots d'esprit entre nous. Mes blessures, car elles étaient multiples, avaient effacé la moindre trace de cynisme en moi. La fierté et l'arrogance dont j'abusais avec le juge s'étaient envolées. On ne pérorait pas face à un fouet. C'est le fouet qui imposait son ton. Je n'étais plus la sémillante Bilqiss mais une pathétique prisonnière qui sentait l'urine.

« Je n'avais pas d'autre choix, vous savez ?

– Je le sais.

– M'avez-vous entendu rire lorsque vous avez répondu à l'avocat général ?

– Bien sûr.

– Je ne peux pas rire, vous comprenez ? Je ne peux pas rire quand vous dites des choses pareilles sinon c'est moi qu'ils vont tuer.

– Je comprends.

– Ici, je peux rire. Mais, là-bas, je n'en ai pas le droit. C'est là où vous êtes dangereuse. Je perds mes repères avec vous.

– Pardon.

– D'ailleurs, je ne devrais même pas rire ici. Vous ne pouvez pas dire que, le voile, c'est mal.

– D'accord.

– Ce sont des choses qu'il ne faut jamais remettre en question. Le voile, c'est la protection de la femme.

– Oui », lui concédai-je.

Il posa par terre un tube de crème, qu'il ne pouvait bien entendu pas appliquer sur mon dos incandescent. J'en badigeonnai alors un carré à même le sol, arrachai péniblement les morceaux de ma burqa qui avaient séché sur mes plaies et m'allongeai dessus en prenant soin d'en recouvrir toute la surface.

Lorsqu'on vint me chercher le lendemain matin, les gardes me trouvèrent somnolente, les yeux creusés par la douleur, gisant sur le sol. Sans ménagement, ils me soulevèrent. Les plaies se rouvrirent les unes après les autres. Je tombai à leurs pieds, implorant une pitié qu'ils ne m'accordèrent pas. Ils se vengèrent pour toutes les fois où je leur avais arrogamment présenté ce dos qui n'avait désormais plus rien d'insultant. Le juge fit annuler la journée d'audience. Je crois qu'il ne voulait pas que l'on me voie ainsi.

Dans l'après-midi, il me rendit visite. Il avait caché sous son épaisse cape de la nourriture et une crème à la cortisone. Il me sembla, lorsque je l'aperçus derrière mes paupières mi-closes, que ça l'affectait de me voir diminuée. Il m'aimait endiablée et impétueuse. Souffreteuse et modeste, je ressemblais à toutes les autres. Lorsque j'ouvris les yeux, il me tendit une brioche à l'anis que je portai aussitôt à ma bouche. Je la laissai s'imbiber de salive pour éviter de mâcher. Mâcher me faisait mal au dos. Le moindre mouvement réveillait les plaies. Mais j'avais faim. Horriblement faim. Alors il prédécoupa des morceaux, les posa sur mes lèvres et, d'un geste timide, les fit glisser dans ma bouche. Ainsi, il effleurait mon visage et les boucles de mes cheveux qui ondoyaient au gré de ses caresses. Les yeux entrouverts, je ne ratais rien du ravissement dont son visage s'éclairait.

« Pouvez-vous me mettre de la crème ? demandai-je.

– Pardon ? s'étrangla-t-il, s'appliquant à afficher une mine sévère.

– Je souffre et, seule, je n'y arrive pas. Auriez-vous la bonté, pour une fois, de penser médical plutôt que sexuel ?

– Je vois que vous allez mieux.

– Mettez-moi de la crème sur le dos, s'il vous plaît.

– Non, je ne peux pas ! Ce serait un péché absolu, conclut-il.

– Très bien. Alors continuez à me nourrir, à frôler mes lèvres, à caresser mes cheveux et à aspirer le souffle qui s'exhale de ma bouche, monsieur le juge, continuez à ne pas pécher… »

Il se leva et s'en alla. Je crois bien qu'il s'enfuit. La brioche et les olives au piment se répandirent sur le sol. J'attrapai celles qui étaient à ma portée et je me rendormis parce que les autres étaient trop loin.

Le juge continua à repousser la date de la lapidation en prétextant des irrégularités administratives. Il reçut aussi la visite d'une femme américaine qui demandait à me rencontrer. Elle s'appelait Leandra Hersham et désirait me voir.

II

Pour la première fois depuis que je rendais visite à Bilqiss, un des gardes se permit de m'interpeller lorsque je quittai sa cellule. Je crus d'abord mal entendre puis réalisai qu'il s'adressait bien à moi. Après mille politesses qui sonnaient obséquieuses, il en vint à me poser la question qu'il n'aurait pas dû et ce fut d'un revers fracassant de la main que je lui fermai la bouche, qu'il ne rouvrit que pour s'excuser platement. Je n'eus pas besoin de le mettre en garde car, le soir même, il fut jeté dans la prison d'une province voisine et remplacé par un autre gueux.

En arrivant chez moi, ma jeune épouse m'avait préparé un copieux dîner fait de *bolanis* aux poireaux, de *qabili palau* et de succulents *farni*[1]. Le repas était recouvert d'un épais tissu brodé qui conservait la chaleur. Les pires peines ne m'avaient jamais coupé l'appétit. J'aimais manger indien aussi. J'avais bêtement offert à Seniz un livre de cuisine indienne, oubliant qu'elle ne savait pas lire. Je prenais donc le temps de lui lire les recettes qu'elle illustrait dans un cahier avec des dessins d'agneau, de curry et des épices. C'était d'ailleurs dans ces moments-là que nous partagions le plus de choses, elle et moi. Cela nous permettait de parler, de nous découvrir un peu, de nous confier aussi et, si toutefois on dépassait les limites de la bienséance, revenir à la recette était une solution de repli bien commode.

Je m'installai sur mon tapis, adossé à un coussin, assis en tailleur devant une table basse parfaitement adaptée à cette position et éclairée par une ridicule lampe de style victorien qu'elle avait achetée au marché. J'allumai la télévision et tombai sans surprise sur un prêche du grand mufti. Je psalmodiai à mi-voix une prière puis pressai longuement le bouton de la télécommande en direction de la parabole pour capter les chaînes d'ailleurs. Ailleurs, c'était la fête. Il y avait des

1. Pain et riz afghan.

télécrochets où les gens chantaient puis pleuraient de joie, des jeux aux règles alambiquées grâce auxquels les participants gagnaient beaucoup d'argent et hurlaient de bonheur, des émissions où de magnifiques femmes dansaient en levant la jambe toujours plus haut et des débats animés où il était plus question de vibrer que de penser. Polonais, italiens, anglais, libanais, espagnols, turcs ou français, leurs programmes me réjouissaient. Bilqiss m'avait dit un jour que nous manquions cruellement de fantaisie dans nos vies. J'avais chicané mais elle avait raison. J'aimais bien rire à des choses faciles, me libérer des contraintes, me délivrer d'une existence affligeante et, je l'avoue, moins penser à Dieu. Moins y penser pour mieux L'aimer. Cela me rappelait les années heureuses où j'avais été charpentier, quand, des jours entiers, je ne songeais qu'à parfaire mon chantier. Le cœur léger, l'esprit en vadrouille et le corps usé, je n'avais ni le temps ni l'énergie de prier, et Dieu, si mes souvenirs étaient exacts, n'en semblait pas contrarié. Avec un pincement dans la poitrine, je me souvenais des mélodies que mon ami Hosmi chantonnait à califourchon sur une poutre. Ainsi Fairuz, Oum Kalsoum et Abdelhalim Hafez nous accompagnaient du sol au plafond, consolant nos âmes quand elles étaient tourmentées ou les régalant si elles étaient en paix. Et puis, il dut chanter plus fort pour couvrir la rumeur. Celle qui enflamma nos discussions. Celle qui fit trembler les édifices. La guerre. Fairuz, disait-il, est la seule à pouvoir sauver notre pays du chaos. Pourtant les fondamentalistes la firent taire en brûlant la seule échoppe de disques et de cassettes du village. Je me rappelle ces années comme les plus belles de ma vie. Et je repense à cet ami avec émotion car, depuis, il ne chantonne plus et c'est un peu à cause de moi.

Ce fut aussi l'époque où je tombai amoureux. D'abord d'une allure. D'une foulée. D'une aura qui émanait de cette femme voilée dont les pieds étaient parés d'un petit anneau en or rose et d'un bracelet. Je dus m'en contenter et construire le reste à partir de ça. Je la guettai, l'imaginai puis un jour je la suivis. Elle était maîtresse d'école. Elle ne s'intéresserait donc jamais à un charpentier. La guerre qui opposait la tête aux mains était tenace. Je me renseignai sur elle par la voie habituelle : les marieuses et les hommes de foi. Ils me déconseillèrent vivement de m'y intéresser car, affirmaient-ils, « C'est une indocile et ses livres lui donnent des ailes... Il lui faut un homme qui l'empêche de les déployer, un homme ferme et certainement pas amoureux ! » Ce fut leur conclusion. Ils me renvoyèrent à mes chignoles et à mes rabots, moquant mes sentiments et me conseillant de regarder en bas de la pyramide, chez les manuelles. Mais je ne renonçai pas. Je pris même le risque de soudoyer un petit garçon sur le chemin de l'école pour qu'il me décrive sa maîtresse. Contre une piécette, j'eus droit à un portrait très personnel de l'enfant : « Ma maîtresse, elle a le visage d'une biche, les yeux sucrés et les mains comme des plumes. Ah oui, et aussi, quand elle s'emporte, il y a une veine qui se dessine sur son front. On l'appelle le volcan. » Curieusement, cette description amplifia mon désir. J'étais à l'affût de ses allées et venues, planqué derrière un parapet, Hosmi derrière mon épaule, gloussant comme un gosse et chantonnant : « Tes yeux sont l'été et mes yeux sont l'hiver, nos retrouvailles, ô mon amour, sont par-delà les saisons. » À la sortie des classes, l'été comme l'hiver, nous étions là, Hosmi pour me soutenir et moi pour tomber amoureux. Nous étions là jusqu'à la prochaine fois, celle où, je le jurais, j'irais me déclarer. Seulement, j'attendis une fois de trop. Ce jour-là un collègue nous dénonça à la police des vices et de la vertu. Au cours d'un déjeuner sur le chantier, nous nous étions laissés aller à quelques confidences, mais l'un de nous semblait s'être radicalisé entre-temps : j'avais avoué ne pas respecter toutes les prières quotidiennes, Hosmi avait révélé boire de l'eau sucrée pendant le ramadan. Nous nous accordions pour dire qu'Allah n'était que compassion et qu'Il ne pourrait jamais nous reprocher d'être raisonnables plutôt qu'obéissants. Mazen protestait férocement, arguant qu'« être raisonnable, c'est subjectif, alors qu'être obéissant, c'est objectif, il n'y a pas à tergiverser, c'est plus simple !

– Simple ? Est-ce donc là ce que nous recherchons aujourd'hui ? La simplicité ? Davantage réfléchir et se concerter pour trouver une manière d'être qui convienne à tous ne serait-il pas plus salutaire ? demanda Hosmi.

– Obéir n'a rien de dégradant.

– Obéir, c'est pour les fainéants, les consentants, les pleutres. »

Nous étions jeunes, nous aimions débattre, nous emporter et nous réconcilier. Nous pouvions nous confier les uns aux autres, dire nos peines et nos espoirs, nous qui, pour la plupart, avions été arrachés à nos familles pour étudier dans des madrasas et apprendre à lire de droite à gauche en nous balançant de l'avant vers l'arrière et, forcément, tout mélanger.

Mais le climat se tendit, du sol au plafond, la voix de Hosmi s'atténua, celle de Mazen s'accentua. Des énergumènes de la pire espèce envahirent nos ruelles, battant celui dont la barbe était courte et molestant celle dont la robe était voyante. Un matin, c'est nous qu'ils vinrent chercher. Hosmi et moi. On se fit d'abord tabasser par une horde de voyous édentés puis livrer à des policiers dans un local insalubre où l'on admit au petit matin ne pas toujours prier et boire un petit peu pendant le ramadan. Quelques jours plus tard, mes paupières dégonflées, je reconnus mon geôlier : c'était un ancien camarade de ma madrasa. Ensemble, nous avions appris à parfaitement réciter le Coran. Je pouvais le déclamer dans tous les sens et à partir de n'importe quelle ligne. Mais je ne sais pas si j'ai jamais entendu ce qu'il avait à me dire. Par chance (quoique je n'en sois plus convaincu aujourd'hui), il plaida pour moi auprès de ses supérieurs, témoignant de l'élève modèle que j'avais été. « Le plus doué », assura-t-il... Si Hosmi ne profita pas des mêmes faveurs, je devins très vite un mouchard puis un prédicateur renommé. « Le plus doué », disaient les gens.

J'excellai dans mon nouveau travail. Rapidement, la raideur avec laquelle on m'avait éduqué redevint un automatisme. Tout le reste, Hosmi y compris, je m'en détournai à jamais pour n'avoir qu'une seule direction, celle de La Mecque. Mon champ de vision rétrécit. Pas mes ambitions. Pour m'élever dans la hiérarchie, il fallait se marier. Mes nouvelles fonctions de directeur des madrasas de toutes les provinces du Nord me permirent de choisir à peu près celle que je voulais. Je me renseignai sur la femme aux pieds divins et aux yeux sucrés. Elle s'appelait Nafisa. Je l'épousai. Nous eûmes très vite des enfants. Dont un garçon. Dieu était grand. Mon amour pour elle aussi. Le sien, il n'en fut jamais question et c'était mieux ainsi. La réponse m'aurait anéanti.

Nafisa n'était pas une femme commode. Parfois, je regrettais de m'être entêté. L'on m'avait prévenu. J'avais sous-estimé la métaphore de l'écolier, celle où il la comparait à un volcan en ébullition. Un soir, inconsolable après l'incendie des archives de son école, c'est un volcan en éruption qui fonça sur moi.

« Je n'avais pas le choix, Nafisa, il y avait des photos inappropriées dans les classeurs, des images *haram*, des tableaux, des portraits d'hommes et de femmes aux mœurs déliquescentes, c'est intolérable !

– Ça s'appelle l'histoire, Hasan, l'histoire ! fulmina-t-elle. De l'art, du monde, des civilisations, des peuples, l'histoire, celle de l'humanité, celle que tu piétines parce qu'elle ne veut plus de toi. Vous faites honte à l'histoire et l'histoire vous le rendra bien ! »

Elle ajouta que nous allions tous périr parce que Dieu était en colère et que l'on faisait les sourds. Qu'à force de psalmodier trop fort, on couvrait Sa voix. Elle se déchaîna sur moi telle une furie. La voyant comme possédée, je la giflai pour qu'elle se modère. Et puis je n'aimais pas la voir pleurer.

« N'assumes-tu jamais tes actes, Hasan ? Prendrais-tu Dieu pour un idiot ? Pensez-vous pouvoir Le rouler, bande de cagots ? Tu crois qu'Il ne t'a pas vu profiter de ta nouvelle position pour imposer à une femme un mariage dont elle ne voulait pas ? Si je l'ai vu, c'est qu'Il l'a vu. Tout est putride ici. Tout. Du pouvoir en place à mon bassin dans le jardin, plus rien n'est bon. Alors laisse-moi pleurer, Hasan, ces larmes, c'est la seule eau potable qu'il me reste. »

Nafisa se mura dans son monde. Elle resta muette comme une statue des jours entiers. Les femmes sont si fortes à ce jeu-là. Elles ont un mental de championnes. Elles transforment le silence en une retentissante fanfare qui vous empêche de vivre et au cœur duquel le moindre soupir résonne comme un tambour. Alors, quand je rentrai à la maison et que je ne l'entendis pas ce jour-là, je ne fus pas étonné. J'allai mettre ma gandoura, me laver les mains, embrasser sur le front mes enfants endormis et je descendis dans le salon. Comme tous les soirs depuis notre dispute, elle serait assoupie dans un coin, sur une paillasse de fortune, puisqu'elle ne voulait plus dormir à mes côtés. Je lui proposai de lui laisser le lit mais elle n'écouta pas. Je soignai mon entrée d'un pas assuré et la trouvai sans surprise allongée sur un tapis rehaussé d'un fin matelas, avec à ses côtés un livre ouvert baignant dans une mare de sang. Son sang. Le volcan avait éructé.

J'appelai Qasim, mon homme à tout faire, en urgence. Il débarqua avec sa femme, Bilqiss, qui avait selon lui des notions de premiers secours. On transporta mon épouse jusqu'à la grande ville, éloignée d'une centaine de kilomètres de notre village. Nafisa était consciente, elle serrait la main de Bilqiss, qui avait autrefois été son élève. Une élève assidue. Douée. Curieuse. Spirituelle. « À part », ajouta-t-elle puisqu'il s'agissait de la faire parler autant que possible.

Il restait encore une dizaine de kilomètres à parcourir pour arriver à l'hôpital. Les carcasses calcinées qui jonchaient la route poussiéreuse annonçaient la grande ville. Les murs des enceintes grêlés d'impacts de balles aussi. On croisait des camions surchargés d'hommes enturbannés qui partaient et d'autres qui revenaient. Ils klaxonnaient et nous éblouissaient avec leurs phares. Nous n'allions pas assez vite. Pourtant, leurs tacots déglingués avançaient uniquement grâce à la volonté de Dieu. Qasim resta calme et changea le rétroviseur de direction. On ne prêtait plus attention à ces chauffards fous.

« J'ai mal. Sommes-nous arrivés ? murmura-t-elle.

– Bientôt, inch'Allah, répondis-je.

– Allah Il veut, Hasan ! Allah Il veut... »

Bien qu'à bout de souffle, Nafisa n'avait rien perdu de sa sagacité et cela semblait réjouir Bilqiss, qui souriait de bon cœur, retrouvant un peu de son institutrice adorée. Elle ajouta, la voix chevrotante :

« Hasan, combien y a-t-il de mosquées dans notre village ?

– Vingt-deux, répondis-je fièrement, heureux qu'elle reprenne ses esprits.

– Donc il y a vingt-deux mosquées et pas un seul hôpital... Trouves-tu cela normal ?

– Nafisa, cesse !

– C'est la raison pour laquelle vous irez tous brûler en enfer.

– Nafisa !

– Vous flattez Allah mais jamais vous ne L'honorez. »

Nafisa ne mourut pas. Elle fut hospitalisée dans la grande ville. Bilqiss resta à son chevet.

Qasim et moi faisions des allers-retours. Aux gens du village, je dis presque la vérité. « Nafisa s'est blessée en coupant le gigot, la lame a dérapé sur l'os et s'est malencontreusement enfoncée dans le bas-ventre. Mais tout va bien à présent, elle se repose à l'hôpital et sera de retour parmi nous dans les prochains jours, si Dieu le veut. » Dieu le voulut puisqu'elle rentra à la maison une semaine plus tard. Je remerciai d'une enveloppe bien garnie mon chauffeur et sa femme, Bilqiss, pour leur efficacité et leur discrétion. Nafisa retourna aussitôt sur son tapis, étreignant nos enfants contre son cœur vacillant et, de ce jour, se noya dans un flot continu de larmes froides, serinant en sourdine : « Mais quel gâchis, mon Dieu, quel gâchis... »

Elle bascula dans la folie le jour où elle s'apprêta à sortir de la maison sans voile et les bras découverts. Je la retins de justesse, les yeux hallucinés, l'empêchant tant bien que mal de passer la porte pour aller je ne sais où. Afin qu'elle reprenne conscience, je la secouai sans ménagement tandis qu'elle répétait : « Il fait trop chaud pour se couvrir, Dieu est juste, Il ne peut pas nous infliger cela. La température est la même pour tout le monde, alors si tu as chaud en bras de chemise, imagine ce que je ressens sous ma burqa, espèce d'enflure.

– C'est pour vous protéger, vous, les femmes, que nous faisons cela, protestai-je dans un ultime espoir de la raisonner.

– Protéger de quoi ? hurla-t-elle, les yeux révulsés. Protéger de qui ? De vous, les hommes ? Vous admettez donc que vous êtes dangereux ? Que vous êtes le problème ? Ai-je demandé à être protégée, moi ? Si vous êtes dangereux, c'est vous que l'on doit tuer, pas nous que vous devez sacrifier… »

Je la repoussai si violemment qu'elle tomba par terre. Le visage courroucé, elle se releva en même temps que je me vis diminuer. Je n'aimais pas celui que je devenais devant elle. Je n'avais pas sa fougue ni sa soif de vivre, je n'étais pas enragé comme elle, j'avais trouvé ma place dans une société oiseuse et sans passions car, finalement, le plus vivant de nous deux, c'était elle, même si elle était agonisante. Au cours d'un ultime échange, elle me demanda à partir. « Et s'il te reste une once de foi, tu m'aideras à le faire. » Je retirai aussitôt tous les objets tranchants de la maison, les cordes et les lacets de nos chaussures, je verrouillai les fenêtres et jetai tous les sacs en plastique. Seuls les murs ne furent pas détruits, même si je savais qu'elle aurait eu le cran de s'y fracasser le crâne. Chaque fois que je rentrais du travail, à la porte, mon cœur se contractait au moment où j'en franchissais le seuil. Je craignais de croiser le regard désespéré de mes enfants ou de fouler une plus grande mare de sang que la fois précédente, car Nafisa, je le pressentais, ne partirait pas modestement.

La dessiccation de son être mêlée à un saignement important de ses gencives m'avaient amené à demander à Bilqiss de veiller sur mon épouse. Elle accepta sur-le-champ et accourut tous les jours pour papoter, broder, cuisiner et lire avec elle. Je leur dénichais par un réseau de contrebande des ouvrages que je laissais traîner comme par hasard dans le salon pour ne pas avoir à les leur remettre en main propre et pécher par deux fois. Depuis la pièce adjacente, j'avais un jour entendu mon épouse dire :

« Tu vois, Bilqiss, aujourd'hui ce n'est plus de l'opium que l'on se procure par des contrebandiers, mais des livres. Voici la triste époque dans laquelle nous vivons. Voilà ce que nous avons fait de notre civilisation. C'est un devoir de mourir, une forme de résistance. Tu comprends, ma fille ?

– Oui », répondit-elle sans trop de conviction, me sembla-t-il.

Avec Bilqiss, ma femme retrouvait une élève. Une fonction. Une passion. Comme un clandestin dans ma propre maison, il m'arrivait de m'asseoir derrière la porte pour les écouter. Avec la poésie, Nafisa réparait le monde à sa manière. Ce monde que je détraquais un peu plus chaque jour avec l'aide de complices dont je ne pouvais plus me passer car ils étaient mes garants devant Dieu et mon immunité face à ma femme.

Mais la beauté, par nature, ne supporte pas d'être voilée,
Le beau visage ne peut endurer le voilement,
Et si tu fermes la porte à la belle face, elle se montrera par une autre ouverture.
Regarde la tulipe dans la montagne,
Comme elle se montre joyeuse et verdoyante au printemps,
Fendant la pierre dure
Et révélant alors sa beauté[1].

Nafisa disait que les artistes ne recherchaient pas la vérité mais l'harmonie. Alors que je passais ma vie, entouré des plus grands exégètes, à étudier la nôtre, je me retrouvais démuni face à des gens que ça n'intéressait pas. Mais, d'harmonieux, Nafisa n'avait plus rien. Les petites parenthèses de plaisir que je lui concédais et grâce

1. Vers de Djâmi.

auxquelles elle respirait encore s'étaient refermées sur elle. On s'interrogeait de plus en plus sur son état et, dehors, je ne pouvais plus mentir. Cela commençait à me nuire. Alors un jour que je rentrai chez moi, après avoir ordonné la pendaison d'un blasphémateur, j'étais bien décidé à réinvestir ma place à la maison puisque, à l'extérieur, elle n'était plus à faire. D'un pas assuré, je me dirigeai vers la pièce à vivre, ruminant dans ma barbe le monologue que j'avais soigneusement préparé. Et répété. Et que je m'apprêtais à déclamer quand, foudroyé sur place, je la découvris, adossée contre le mur, en train de se manger les veines en plantant son regard dans le mien. Je restai là, paralysé, les yeux pétrifiés mais bien ouverts. Je ne me jetai pas sur elle pour la sauver, car aussitôt je compris qu'on ne pouvait rien contre une femme qui se rongeait les poignets. Son acharnement contre la vie était plus fort que tout. Je n'intervins pas. Elle se laissa faire quand je l'enlaçai, pleurant à chaudes larmes dans ses cheveux décoiffés. Je ne saurai jamais si Nafisa n'eut pas la force ce jour-là de me repousser ou si, comme je l'espère, ce fut sa façon de me remercier de ne pas la forcer à vivre. Ce fut ma plus grande preuve d'amour à l'égard de cette femme que j'avais voulu épouser dans un élan sincère, tandis qu'elle y avait seulement consenti.

L'enterrement fut discret. Rapide, aussi. Le cimetière, submergé ces dernières années, avait dû s'agrandir, débordant jusqu'au caravansérail abandonné à l'entrée du village. C'est là que je l'enterrai, entouré de quelques proches et de nos enfants. Bilqiss était restée en retrait, sanglotant derrière une arcade parce qu'elle n'avait pas le droit d'être là. Les notables pensèrent qu'il s'agissait d'une mendiante, qui traînait par là par hasard. Moi je la reconnus au son qu'elle faisait en marchant. Nafisa lui avait offert son bracelet de pied, qu'elle portait comme elle, à la cheville droite.

Grâce à ma position, je n'eus pas à me justifier sur les circonstances de la mort de ma femme. Très vite, on me présenta celle qui allait la remplacer et qui, me jura-t-on, me causerait moins de tracas.

Pour me plaire, Seniz changea la décoration de notre maison et remplit le salon de bondieuseries plus clinquantes les unes que les autres, comme des minarets dorés agrémentés de géraniums rouges en plastique. Je sus aussitôt que l'ère Nafisa était révolue et que, à présent, je serais ébloui par ma femme pour d'autres raisons. Je me hissai à la tête de l'ouléma de mon district et devins le juge des questions islamiques.

Je ne revis Bilqiss qu'à la mort de Qasim. Inconsolable, j'allai lui présenter mes condoléances, accompagné du muezzin et de sa femme. Je lui remis une enveloppe remplie de billets afin qu'elle subsiste quelque temps. L'avenir s'annonçait sombre pour une veuve sans enfant et sans famille. Une femme sans statut social dans notre village mettait en péril le bon fonctionnement de notre communauté. Les électrons libres provoquaient toujours des courts-circuits, il fallait s'en méfier. De plus, pour l'avoir indirectement côtoyée, je savais que Bilqiss était une indocile de la trempe de Nafisa. Je l'avais entendue glousser aux plaisanteries de ma femme, acquiescer à tout ce qu'elle disait et se remplir d'elle. À cause de cela, je ne pouvais pas la recommander auprès des notables que je fréquentais, même pour des travaux mineurs. Elle risquait de tout révéler et que l'on s'en prenne à moi.

Les jours finirent par reprendre leur cours normal. Je m'habituais à une vie ordinaire, sans tensions ni conflits, avec ma nouvelle femme en parfaite harmonie avec l'existence que je lui offrais, m'accueillant chaque soir avec des yeux grands comme des soucoupes. Lorsque je foulais l'allée qui menait à la maison, déjà, je n'étais plus le même homme. Au dernier virage avant la porte, des effluves d'épices emplissaient l'air, m'annonçant subtilement le parfum de la soirée. Sur le seuil, les piailleries de mes enfants m'enchantaient. Un peu plus loin, dans la cuisine, Seniz s'affairait autour du fourneau. Je me laissais tomber de toute ma masse sur l'épais tapis de laine, ravi de présider un savoureux repas familial dans une ambiance paisible. Sereine. Indulgente. Complaisante. Vivable, nom de Dieu.

Et puis, une nuit, l'impensable se produisit. Je crus, comme la plupart des fidèles, d'abord à un rêve, puisque la voix séraphique qui nous réveilla ce matin-là ne pouvait être réelle. Seniz se redressa dans le lit, me secoua et, quand je mis un pied à terre et que le sol ne se déroba pas, je crus défaillir. Chaque nuit, Nafisa rôdait dans mes songes et, si ce n'était pas elle qui chantait à présent, à qui appartenait cette voix ? Seniz ouvrit les volets disjoints de notre chambre à coucher pour questionner les voisines. Il n'y avait plus de doute, une folle, car elle l'était forcément, était montée en haut du minaret pour chanter la prière. Elle la revisitait, encourageant les uns à prier et pardonnant les autres de ne pas le faire. Elle évoqua la bonté de Dieu, Sa bienveillance et Son amour infini qui préférait aux cerveaux repus de Lui des cœurs en éveil. Et quand la voix reprit les mots de Nafisa pour terminer sa prière, je sus que, la folle, c'était Bilqiss.

Vous flattez Dieu mais jamais vous ne L'honorez.

Déjà le sol grondait d'une centaine de pas en colère. Seniz prit peur et se boucha les oreilles. Moi, je fermai les yeux pour n'être distrait par rien d'autre que cette voix aérienne. Mais, très vite, les premiers signes d'un vibrant chaos se firent entendre. Je rouvris les yeux, refermai les volets, revêtis mon burnous, rassurai ma femme et m'en allai affronter mon destin. J'acceptai ma punition et, à haute voix, l'annonçai à Dieu. Bilqiss remplaçait Nafisa. Il n'en avait pas fini avec moi…

Puisque notre législation n'avait jamais envisagé cette situation, nous n'avions pas de punition adaptée pour une femme qui déclamait l'adhan. Lors de la réunion qui suivit l'incident, nous fûmes bien embarrassés pour trancher entre une centaine de coups de fouet et la lapidation mais, à l'unanimité, nous optâmes finalement pour la solution la plus radicale afin de dissuader les plus rebelles à l'avenir. Bilqiss serait un bel exemple. Personne ne se souciait d'elle. Une veuve esseulée et marginale. Nous ne savions plus quoi en faire depuis la mort de son mari. Nous ne savions pas quoi faire d'une femme, à vrai dire.

Je revis Bilqiss le jour de son procès. Lorsqu'elle releva sa burqa, mon cœur se serra. Elle me rappelait Nafisa. Elles ne se ressemblaient pas mais elles avaient le même regard : assourdissant.

Je me dissimulai derrière des questions administratives afin de souffler un peu, reportant les premiers jours la séance au lendemain pour, disais-je, me conformer à la justice de Dieu qui abomine les abus et aime l'équité. Grâce à Lui, encore une fois, je pus faire durer ce procès aussi longtemps que j'en eus besoin. Bilqiss avait donc pris le relais de Nafisa. L'une dans l'ombre et l'autre dans la lumière, elles étaient deux à me persécuter. J'avais le pouvoir de mettre fin à ce supplice en la condamnant le jour même mais je savais à présent qu'il ne suffisait pas de mourir pour disparaître, alors je fonçai le cœur le premier.

Après une semaine de procès, je ne pouvais plus me passer d'elle. J'allais la voir dans sa cellule. D'abord un soir puis les suivants. Pour la forme (et pour me blanchir auprès des gardes), je me mettais en colère, feignant ainsi d'être là pour des raisons légales. Mais tout ce qu'elle était s'enracinait dans l'illégalité, l'excès et la passion. Je brûlais d'un désir fou pour elle, trahissant d'un même souffle ma raison, mes convictions et la loi. Et quand ce n'était plus tenable, je partais à la hâte, un coran contre mon torse pour étouffer les battements de mon cœur déchaîné.

Un matin que j'arrivais à la salle d'audience, une sémillante journaliste américaine s'avança timidement vers moi, me saluant dans ma langue et se présentant dans la sienne. Je fus ravi qu'elle présume qu'un homme comme moi comprenait l'anglais. Je m'appliquai donc. Lorsqu'elle m'informa que des vidéos du procès de la femme circulaient sur internet, je l'invitai à me suivre dans mon bureau. Pleine d'affèterie, comme toutes les femmes occidentales qui pensent pouvoir obtenir plus en en cachant moins, elle sollicita la faveur de m'interroger sur le procès en cours et, idéalement, celle de rencontrer Bilqiss. Pensant m'amadouer, elle loua mon impartialité qui, me dit-elle, était largement commentée sur les réseaux sociaux. Je pris soin d'afficher un air détaché mais, en vérité, j'étais comme ces gens qui errent dans les rues et à qui on demande parfois un renseignement : flatté. Flatté qu'on s'intéresse à moi et prêt à me démener pour la satisfaire. J'étais un petit juge fier de lui par dépit devant une jeune femme audacieuse. Un moralisateur fossilisé heureux de jouer dans la cour des grands.

« Avant toute chose, pouvez-vous m'expliquer, monsieur le juge, pourquoi cette femme est condamnée à la lapidation, alors que cette pratique n'est nulle part évoquée dans le Coran ? J'ai lu le Coran, vous savez ! »

Lorsqu'elle s'aventura dans mon domaine, je la recadrai néanmoins.

« Mademoiselle, je salue votre effort louable, mais restez en dehors de cela. La religion est la seule chose que nos gouvernements successifs, largement soutenus par les vôtres, ne nous aient pas confisquée. Nous l'exploitons à notre manière et jusqu'à présent personne chez vous ne trouve à s'en plaindre.

– Très bien. J'ai une autre question, monsieur le juge. Pourquoi êtes-vous si clément avec Bilqiss ? »

III

« Si j'avais été une pute, j'aurais été une grosse pute, monsieur Smoller. J'aime le travail bien fait ! Merci de m'avoir consacré du temps et un peu trop d'intérêt. »

C'est ainsi que s'acheva mon entretien avec le rédacteur en chef du *New York Magazine*. Je quittai, furibonde, des locaux où je m'étais déjà imaginée occuper le bureau d'angle, dos à la ville, ensevelie sous une pile de feuilles volantes qu'une tasse de café chaud dominerait. Malgré mon jeune âge, j'aimais travailler à l'ancienne et raturer des mots sans les effacer. Je retournai donc dans mon ancien bureau, où je trouvai, collé à mon écran, un post-it fluorescent : « Lobby Gramercy 1 p.m., itw, actrice, très engagée, super bonne », rédigé de toute évidence par mon collègue Oliver. Dans le métro, je parcourus sa filmographie et son actualité. J'allais donc recueillir le récit d'une jeune actrice végétalienne, bisexuelle, blogueuse et créant pour Heimstone une collection capsule dont un pourcentage des bénéfices serait reversé à la création d'ateliers yoga dans les écoles primaires des quartiers défavorisés. Avant que la rubrique « culture » ne disparaisse de nos pages au profit d'une fumeuse rubrique « société », je prenais toujours mes notes à la main, friande d'apprendre des choses nouvelles, mais, depuis que le fait divers avait remplacé l'histoire, je ne retenais rien et enregistrais tout.

« À la lecture du scénario, j'ai su que ce rôle était fait pour moi. J'ai harcelé le directeur de casting sur son téléphone, j'ai poireauté des heures devant la maison du réalisateur, dont j'avais obtenu l'adresse en soudoyant le mec qui fait le tour des villas de stars à Bel Air, je me suis rasé la tête parce que le rôle l'exigeait et que je voulais déjà être dans la peau du personnage, j'ai pris des cours de serbo-croate en accéléré parce que bien sûr j'avais menti là-dessus et quand j'ai enfin décroché une audition, j'étais Bogdana, il n'y en avait pas d'autre ! En plus, depuis que je suis adolescente, j'accompagne des enfants rendre visite à leur père ou à leur mère qui sont en prison et donc j'avais une incroyable familiarité avec le milieu carcéral et je pense que, ça, le réalisateur l'a ressenti. Enfin, je ne suis pas là pour parler de moi mais plutôt de mon personnage, Bogdana, qui, elle, est une véritable héroïne. Moi je suis actrice, ça va, je ne sauve pas des vies non plus, je n'ai pas inventé de vaccins, mais comme toute expression publique a une portée politique, je pense que ce film peut changer les choses. Et si, à mon petit niveau, je peux y contribuer, ça vaudra tous les oscars du monde. Cela dit, je ne suis pas contre en recevoir un un jour, hein (éclat de rire). Je me souviens encore de l'expression de ma mère lorsqu'elle a reçu le sien et que j'étais en pyjama en train de regarder la cérémonie devant la télé avec mon frère et ma nounou. J'ai pleuré toutes les larmes de mon corps et j'ai su ce jour-là que c'était ce que je voulais faire, actrice...

– Oui, ça se saurait si les enfants de stars voulaient devenir neurochirurgiens.

– Excusez-moi ? »

Je ne m'en étais pas rendu compte mais j'avais pensé à haute voix. Heureusement mon téléphone sonna et j'en profitai pour m'éclipser un instant. Lorsque je décrochai, je reconnus immédiatement la voix de Kenneth Smoller, le rédacteur en chef que j'avais rabroué le matin même. Il m'annonça que j'avais obtenu le poste et, quand je lui demandai pourquoi il avait changé d'avis, il me répondit, dans un grand éclat de rire : « Je n'aime pas les putes, seulement celles qui en ont le potentiel. » Ça me fit sourire. Il le sentit. Avant de raccrocher, j'insistai pour avoir « le bureau d'angle, merci ».

Je revins m'asseoir en face de l'actrice. Contrariée, elle me tendit un téléphone au bout duquel son agent vitupérait. Je refusai de prendre la communication et rangeai mes affaires en m'excusant de devoir partir aussi précipitamment mais il fallait que je me rende en prison où Madoff m'attendait pour sa pipe hebdomadaire car moi aussi je faisais du bénévolat en milieu carcéral. Je déposai sur la table quelques dollars avec un pourboire conséquent à l'attention de la serveuse car je venais souvent déjeuner en famille dans cet hôtel qui appartenait à un ami de mon père.

J'avais grandi dans le Connecticut au sein d'une famille privilégiée. Mon enfance avait été plutôt heureuse, entre les virées en kayak sur la rivière qui longeait notre propriété et les balades en mer sur la splendide goélette de mon père qui passait presque tout son temps à bord. Nous faisions aussi beaucoup de sport, de l'athlétisme, de la danse classique et du tennis, j'appartenais à la troupe de théâtre de St Ambroise, mon école chérie, et le dimanche, nous sillonnions la Nouvelle-Angleterre afin de dénicher des pépites dans des brocantes que ma mère achetait sans négocier pour ses créations improbables qu'elle vendait ensuite dans sa boutique de Stonington. Mon père et elle s'étaient rencontrés à New York dans les années 1990 lorsqu'elle était mannequin et qu'il était milliardaire. Ils avaient abusé de la grande ville et cédé à tous ses vices. Puis s'étaient retirés à la campagne avant qu'il ne soit trop tard. Mon père était un puissant producteur de cinéma qui méprisait le métier d'acteur et s'était toujours opposé à ce que ses filles envisagent de le devenir. C'était un métier de « shiksas », disait-il, et, bien que le cinéma l'ait enrichi, cela lui semblait impensable que nous intégrions ce milieu. Il faisait partie de ces grands pontes qui engrangent des bénéfices prodigieux grâce à des superproductions mais pour qui la famille, bien trop sacré, doit rester à l'écart de ce carnaval. Depuis son voilier amarré à Mystic Seaport, il organisait sa vie autour de son travail et de mes sœurs et moi qui passions avant tout. Il nous apprenait à faire des nœuds marins ou à lofer pendant que ma mère sculptait à ses heures perdues. Le reste du temps, elle recevait des amies de passage dans sa boutique-salon de thé où elle exposait ses créations, qu'elle offrait le plus souvent parce que : « Je ne fais pas ça pour l'argent, tu le sais bien, ma chérie. » Nos stands à la kermesse de l'école étaient toujours les plus innovants et j'aimais cela chez elle. Elle était originale. Tourmentée, aussi.

Mes trois sœurs et moi avions hérité de la beauté de notre mère et de la robustesse de notre père. À nous quatre, nous représentions une Amérique en pleine santé. Nous avions naturellement les cheveux d'un blond hitchcockien. Dès les premiers rayons de soleil printaniers, nous vernissions nos orteils, que nous laissions évoluer à l'air libre dans des tongs multicolores. Nos jambes dorées et parfaitement galbées que gainaient des shorts en jean affolaient les passants que nous arrêtions dans la rue pour une bonne cause, la guerre, les personnes âgées, les handicapés ou les tornades. Très tôt, nos parents nous avaient sensibilisées à la détresse des autres. Nous profitions de tous les privilèges qui inondaient notre existence mais le samedi, souvent dans la matinée, nous donnions de notre temps pour récolter des fonds ou nettoyer les rives.

La vie était agréable à Essex, bien qu'un peu éthérée. J'aimais l'idée d'y avoir grandi mais à présent, ce sentiment d'éternelle quiétude me terrorisait. J'étais désormais new-yorkaise, avec tout ce que cela impliquait de chaotique. Je m'étais installée dans le pied-à-terre de mes parents à l'angle de la 5e Avenue et de la 64e Rue pour poursuivre mes études de journalisme. Ma mère se partageait entre la campagne et la ville, avec laquelle elle renouait peu à peu. Elle évitait les mondanités, leur préférant des petits dîners à la maison avec son professeur de yoga et des gens qui l'élevaient spirituellement. Parfois, quand j'étais en colère contre elle, je lui disais qu'elle était la personne la plus prévisible au monde. Ça la rendait malheureuse et elle appelait son thérapeute, ce que, bien entendu, je ne manquais pas de pointer comme étant la chose la plus attendue aussi. Ma mère avait percé dans le mannequinat au cours des années 1980, décennie pendant laquelle elle s'était gâchée dans d'innombrables bras pour échouer dans ceux, plus endurcis, de mon père.

« Vous ne voulez tout de même pas que je fasse la même chose que dans mon ancien journal ? Recueillir des confidences fausses et fades d'artistes qui n'en sont pas...

– Mais il n'y a rien de déshonorant à interviewer les One Direction ! Ce sont eux qui ont le plus gagné en 2013.

– Écoutez, monsieur Smoller, j'ai envie d'écrire des choses qui comptent, des choses vis-à-vis desquelles je m'implique. Travailler, travailler vraiment je veux dire…

– Ne soyez pas si arrogante, mademoiselle Hersham. Regardez vos mains, elles n'ont jamais fait la vaisselle.

– Mais elles ont déjà écrit. Des choses très bonnes, des choses puissantes.

– Vous avez surtout fait parler de vous avec votre article "Un Israël pour femmes". Une idée ridicule.

– Une femme sur cinq est victime de viol ou de tentative de viol au cours de sa vie, monsieur Smoller. Ce n'est pas grotesque pour celles qui sont victimes de violences, il y en a trop, les choses ne changent pas, les chiffres sont accablants et un jour il faudra trancher dans le vif et prendre des mesures radicales. Imaginer un pays où toutes les femmes du monde seraient en sécurité a du sens.

– Vous avez jusqu'à demain matin pour me donner envie de vous garder », conclut-il en soupirant bruyamment.

Je passai la nuit à surfer sur le net. Je visionnai indistinctement des vidéos insolites, des clashs, The Roast, des débats politiques, les Twins, des documentaires, des conférences TED et, comme internet ne s'arrêtait jamais, une vidéo menant toujours à une autre vidéo, je me retrouvai, à l'aube, face à une femme en train de se faire fouetter. J'envoyai le lien à mon amie Rula, qui travaillait pour une ONG encourageant l'éducation des filles dans les pays musulmans. Elle m'en renvoya un autre sur-le-champ, grâce auquel je découvris cette même femme assise dans le box des accusés d'un tribunal glauque. Rula avait toujours une longueur d'avance sur moi. Je l'appelai pour en savoir davantage.

« Les vidéos sont récentes, la nana risque d'être lapidée bientôt mais le juge a l'air plutôt moins con que d'autres, il prend le temps de bien étudier le dossier. Apparemment, elle a chanté l'adhan, l'appel à la prière, et c'est interdit aux femmes bien sûr. Je ne sais pas de quoi elle a voulu se mêler, tu fais pas la révolution toute seule dans un pays comme ça. En plus, elle ne veut pas d'avocat, elle se défend elle-même. Tu verrais ce qu'elle leur envoie dans la gueule... Elle doit être folle, je pense. Drôle, mais complètement folle. Cela dit, j'habiterais là-bas, je le serais aussi. »

Rula me communiqua tout ce qu'elle avait. Pour moi, la fille n'était pas folle. Elle devait juste faire face à des accusations invraisemblables comme celle, par exemple, d'avoir acheté des aubergines entières de forme phallique au marché, alors qu'il était obligatoire de les faire prédécouper par le maraîcher avant de les rapporter chez soi. Qu'y avait-il à répondre à cela ? Un bras d'honneur de forme phallique me semblait la répartie la plus appropriée. Avec un air de componction parfaitement surjoué, cette femme s'excusait auprès du juge, lui demandant ensuite qui d'elle ou de l'avocat était le plus toxique pour voir un phallus dans une aubergine. Elle rappelait à l'avocat qu'il était bien immodeste de se comparer à un légume aussi volumineux et que Dieu n'aimait pas les vantards. La salle protestait, le juge tressaillait et la vidéo s'arrêtait brusquement. J'avais mon sujet : cette femme.

Probablement galvanisés par le nombre de vues qu'elles suscitaient, les apprentis documentaristes postaient plusieurs vidéos à la suite. Je ne me lassais pas de regarder l'accusée affronter cette pétaudière que le juge s'efforçait de contenir après chaque intervention. Perché sur sa tribune, cet homme détonnait dans le paysage. Il me semblait plutôt mesuré, charitable et soigné. En comparaison, c'était un simple violeur au milieu d'une horde de pédophiles. Le plus gentil des très méchants. À la quatrième vidéo, j'appris enfin le prénom de la femme. Elle s'appelait

Bilqiss. Comme la reine de Saba. Je trouvais cela charmant et très seyant.

Le temps défilait, l'heure n'avait plus rien de matinale. J'envoyai un mail à Kenneth Smoller pour lui exposer mon sujet (celui qui lui donnerait envie de me garder), auquel il répondit par un prosaïque « Yep ! ». Quand j'arrivai au bureau, je trouvai toutes mes collègues agglutinées devant la vidéo de Bilqiss en train de se faire fouetter de trente-sept coups qui en paraissaient mille. L'image n'était pas stable car, dans la foule, les gens exultaient. Ces châtiments sur la place publique permettaient aux chefs du village d'opérer sur les pauvres âmes qui le peuplaient une sorte de catharsis à bas prix. Des cris allègres jaillissaient de la foule. Parmi elle, il y avait des femmes. Des femmes enfiévrées qui trempaient leur burqa d'un torrent de bave puisqu'il leur était permis de hurler ici. Seulement ici. Lorsque ce fut terminé, Bilqiss fut évacuée sur une civière, allongée sur le ventre afin que tout le monde puisse admirer son dos meurtri, lacéré et cloqué.

Avant de me mettre au travail, j'allai me servir un thé dans la cuisine du bureau, où je trouvai mon patron en train de se préparer une soupe chinoise. Il me chahuta parce qu'il me trouvait beaucoup trop enthousiaste pour un sujet aussi dramatique.

« Il s'agit davantage d'inspiration », rétorquai-je.

Il sourit et dit en sortant de la pièce :

« Il s'agit surtout de différencier l'engouement de l'indignation, ce que vous, les femmes, avez du mal à faire. »

Kenneth Smoller était un bourrin irrévérencieux. Il n'engageait que des femmes, qu'il réunissait dans un espace ouvert, surnommé affectueusement « mon poulailler ». Il était le genre d'homme à dire, lorsque deux femmes se disputaient, « encore des histoires de gonzesses », incapable d'imaginer qu'on puisse aussi s'engueuler pour des choses sérieuses. Et si un copain s'éloignait de sa bande de potes, c'était « à cause de sa nana », toujours enclin à blâmer la pièce rapportée, futile et chicaneuse, d'être la source de tous les maux. Mais il disait ça « juste pour rigoler, ça va... ». Oui, ça allait, parce que le *New York Magazine* était une pépite et y signer des papiers, une chance. C'était chic, pointu, culturel, scandaleux, spectaculaire, indépendant et audacieux, c'était new-yorkais.

Brusquement, j'eus un flash. Cinq minutes plus tard, je hélai un taxi, qui me déposa devant chez moi. Les portes de l'ascenseur s'ouvrirent sur le fessier de ma femme de ménage qui passait l'aspirateur sur le palier, écouteurs vissés sur les oreilles, si bien qu'elle sursauta quand je déboulai dans son champ de vision. Je rentrai comme une furie dans mon appartement et fonçai jusqu'à la cuisine pour y ouvrir tous les placards : impossible de mettre la main dessus. C'était donc forcément dans le lave-vaisselle. J'appelai Emeline. Je lui demandai si elle savait comment on arrêtait ce truc. Elle me conseilla d'attendre puisqu'il était en phase de rinçage.

« Vous êtes sûre que ça va, Leandra ?

– Oui, ça va, Emeline, pardon, je... Je suis sous pression au bureau et, euh, j'aimerais vérifier quelque chose là-dedans. »

Ça n'avait aucun sens mais Emeline ne parut pas troublée et s'en satisfit. Elle avait été au service de mes parents pendant leurs années new-yorkaises, et, par conséquent, elle ne s'offusquait pas quand je disais n'importe quoi. Le cycle de lavage enfin terminé, j'ouvris le lave-vaisselle. Une épaisse vapeur m'embua le visage. Après quoi je saisis le mug sur lequel figurait un visage de femme. Cette femme, c'était Bilqiss. Je la reconnus immédiatement. J'avais donc pris le thé avec elle pendant des années sans la regarder vraiment. Comme un vieux couple. Ma mère m'avait offert ce mug après avoir assisté à une conférence sur les violences domestiques. Elle l'avait acheté dans la boutique de produits dérivés à la sortie. « Tu ne trouves pas que cette jeune fille a une beauté tragique ? m'avait-elle dit. – Oui, et un regard puissant », lui avais-je répondu. Je l'avais ensuite rangé dans le placard des mugs avec ceux à l'effigie de la reine d'Angleterre, des bébés d'Anne Geddes, des personnages de *Friends*, des *Simpson* ou portant le logo du marathon de New York que j'avais couru en trois heures et quinze minutes. Peut-être que j'étais un peu trop enthousiaste pour une histoire aussi dramatique mais, ce mug, c'était un signe.

Je débarquai dans le bureau de mon amie Rula sous le nez de laquelle j'agitai le mug. Elle eut un mouvement de recul, rajusta ses lunettes et, bouche bée, reconnut elle aussi assez rapidement la jeune fille qui figurait dessus.

Nous décidâmes d'aller déjeuner à la Tartinery comme nous le faisions souvent, avec deux croque-monsieur pour nous chaperonner. Les réseaux sociaux continuaient à s'enflammer en faveur de cette femme qui, avec des mots simples et une logique déconcertante, se défendait tant bien que mal face à une assemblée qui ne dissimulait plus ses intentions meurtrières. Son principal accusateur, un cagot déguisé en avocat, adjurait au nom de la religion que le juge la condamne sans attendre. Mais le juge ne la condamnait pas.

Chaque soir, à l'issue de l'audience, il la renvoyait dans sa cellule sous les huées d'une foule impatiente de la voir mise à mort. Plusieurs vidéos circulaient à présent. Cela faisait presque une semaine que le procès avait débuté. Beaucoup se demandaient pourquoi la sentence ne tombait pas. La plupart du temps, dans les villages aussi reculés, les autorités religieuses ne s'embarrassaient pas pour lapider une femme impénitente. On tuait en toute impunité les récalcitrants et on cherchait ensuite une bonne raison de l'avoir fait. Pourtant, lorsque Bilqiss prenait la parole, les gens écoutaient pieusement, comme s'ils en voulaient davantage. On aurait dit aussi qu'ils s'indignaient parce qu'ils ne savaient pas applaudir.

« Regarde, il baisse sa garde quand elle parle. Il semble troublé, tu ne trouves pas ? fis-je remarquer à Rula.

– Tu regardes trop de comédies romantiques, Leandra. Ce mec va la faire buter dans quelques jours, ils font juste durer le spectacle parce qu'ils se font chier dans leur trou à rats. Tu sais que, le jour de la lapidation, ces pourritures utilisent d'abord des petits cailloux, ronds et lisses, pour faire mal et, au fur et à mesure, jettent de grosses pierres anguleuses pour achever leur victime ? Il y a donc quelqu'un dont le travail consiste à trier au préalable les cailloux “amuse-bouches” et les pierres du dessert. Et toi, tu me parles d’une histoire d’amour entre le juge et son accusée... »

« Vous êtes complètement malade, Leandra. C’est hors de question !

– Je partirai avec ou sans votre bénédiction.

– Mais pourquoi vous emmerder à aller là-bas ? Qu’est-ce que vous allez apprendre de plus dans ce pays pourri ? Torchez-nous un portrait larmoyant d’ici. Ça ne fera pas de vous une meilleure journaliste que d’aller vous salir les mains sur place. »

Tout le monde fut surpris par cette soudaine décision complètement folle. « Une noble émulation », leur répliquais-je. Kenneth Smoller la jugeait orgueilleuse et prétexte à prouver je ne sais quoi à je ne sais qui. C’était en partie vrai. Il y avait d’abord les jalouses du bureau qui, bien renseignées sur moi, s’étaient appliquées dès le premier jour à m’ignorer, répondant à peine à mes bonjours et ne rebondissant sur rien de ce que je disais. J’avais aussi des choses à prouver à mon père, ravi que j’écrive des trucs pour un blog, à ma mère, qui pensait que seule la méditation pouvait sauver le monde, et à mes sœurs, Ethel, Tabitha et Hortense, ma préférée. James, mon petit ami, eut quant à lui la même réaction que mon patron. Il était avocat chez Puech & Katz « et franchement, aller là-bas, c'est n'importe quoi, quoi... ». Son langage était infiniment plus châtié d'habitude mais comme je lui révélai mon projet alors que la soirée était bien avancée, dans un bar de NoLita, il me répondit du mieux qu'il put. Le lendemain, redevenu avocat d'affaires, il me mit plus clairement en garde :

« Si tu pars dans ce pays de fils de putes, c'est pas la peine de me rappeler à ton retour. »

Face à mon obstination, il me traita d'abord de conne. Puis, dans le couloir, de petite fille riche à la recherche de sensations fortes. Dans l'entrée, il me souhaita de me faire violer par tous ces putains d'obsédés sexuels. Et il claqua la porte derrière lui. Je restai figée sur place. Je priai pour que ce soit un mauvais rêve, pour qu'il ne soit pas trop tard, pour qu'il n'ait pas proféré toutes ces horreurs et pour que l'on se marie comme prévu l'année suivante à East Hampton dans sa propriété de Georgica Pond.

Je priai mais il était trop tard. Il avait prononcé des mots impardonnables. Même fâché. Même désespéré. Même encore un peu bourré. Je chargeai ma mère d'annuler le groupe de rock qui devait animer la soirée. Mes sœurs Ethel et Tabitha s'évertuèrent à me persuader de ne pas me précipiter parce que « ça va, tu as déjà dit des choses qui dépassaient ta pensée ». Seule Hortense se réjouit de ma décision parce que « c'était un mec trop assis, James, d'ailleurs avec lui tu serais devenue le genre de meuf à ne faire que des dîners placés ». Alors c'est à elle que je me confiai sur le voyage que j'allais entreprendre. Elle était la seule à pouvoir comprendre les névroses qui poussaient une « jap » (*jewish american princess*) à se rendre dans un pays hostile. Pour rire, elle disait souvent : « On ne naît pas seulement juive, on le devient », et à partir de là, plus rien de ce que nous faisons n'est anodin. Je ne rebondis pas sur ces réflexions excessives et lui parlai seulement du mug, du signe qu'il représentait pour moi, « un signe idiot peut-être mais j'ai envie de le faire. – Alors fais-le », fut sa seule réponse. Kenneth Smoller, lui, n'en démordit pas. Il ne voulait toujours pas entendre parler de ce voyage « totalement absurde », alors je proposai de le financer moi-même, ce qui, bien entendu, n'assainit pas mes accointances au bureau. Il me fit malgré tout signer un document le déchargeant de toute responsabilité en cas d'incident. « Et si l'article est bien, peut-être que je le publierai, mais pour ça faut revenir en un seul morceau. »

Grâce à Rula qui connaissait toutes les âmes charitables de New York, j'embarquai sur le vol

AA 567 avec son ami Yann, le président de la fondation Womanity venant en aide aux petites filles déscolarisées de la région. Je l'avais croisé lors d'un gala de bienfaisance et nous nous étions promis de faire un jour ce voyage ensemble après que je lui avais fait part de mon désir de m'engager dans quelque chose d'utile. Je n'oublierai jamais le sourire insolent que James arborait ce soir-là, certain que ce n'était là que du blabla de circonstance. Ce fut à cela que je pensai en embarquant dans l'avion. Ce n'était pas la meilleure chose à faire, je l'avoue, ça corroborait le jugement de mon patron, mais ce fut aussi déterminant dans mon choix – je ne niais pas l'esprit de revanche qui m'animait.

Après notre dispute, James me harcela, il me fit livrer des roses et des lys blancs que je refusai et rendis au fleuriste, il se pointa en bas de chez moi mais se vit interdire l'accès de l'immeuble par le concierge et la sécurité, il appela mes sœurs et ma mère qui suivirent mes instructions, il me fit transmettre tout à la fois des messages d'excuses, d'amour et de regrets, mais c'était terminé. Je rompais toujours définitivement.

Dans l'avion, j'étais assise à côté de Yann. Je ne savais pas s'il était convenable de regarder un film en position semi-allongée avec une coupe de champagne quand on partait faire de l'humanitaire. Alors, pour éviter un faux pas, je fis comme lui : je refusai tout d'abord les amuse-bouches et la coupette que l'on me proposa après le décollage. Yann plaça ses écouteurs dans ses oreilles sans attendre et se mit à feuilleter des fascicules. Lorsque l'hôtesse de l'air s'approcha pour prendre sa commande, il la remercia d'un geste de la main. Il se mit à stabilosser des documents photocopiés puis alluma son ordinateur où mille fichiers masquaient l'écran d'accueil. On pouvait cependant deviner qu'une très jolie jeune femme aux mèches caramel et à l'iris noisette se cachait derrière des dossiers de femmes moins chanceuses. Affamée, je ne renonçai quant à moi pas au repas. Après tout, mon voisin n'avait peut-être simplement pas faim et cette posture n'avait rien à voir avec le sérieux qu'imposait un tel voyage. Je sélectionnai aussi sur l'écran individuel un film de Michael Haneke, juste au cas où...

Je m'endormis pourtant aussitôt après le dîner lorsqu'on tamisa la lumière et fus réveillée une dizaine d'heures plus tard par les cliquetis du chariot du petit déjeuner. Je mâchouillai dans le vide, nettoyai discrètement avec mon index le coin de mes yeux, me tapotai les joues, rajustai ma queue-de-cheval et me redressai pour me mettre à table. Par le hublot, j'apercevais les lumières éparses d'une ville pratiquement plongée dans le noir. On se serait cru en Corée du Nord. J'avais fait le tour du monde mais jamais je n'avais voyagé dans un autre univers. Celui des pays qu'on ne dessert pas par des vols directs. Celui des pays qu'on ne voit qu'à la télévision, souvent avec une cible dessus. Je n'aimais pas me l'avouer mais être là, à quelques centaines de kilomètres au-dessus d'un sol dangereux, me remplissait d'une étrange euphorie. Après une première escale, il nous resterait un vol de trois heures pour atteindre la capitale puis un demi-millier de kilomètres à parcourir en voiture pour arriver au village. Yann me confierait à l'aéroport aux bons soins d'un ami de longue date. Sa famille m'hébergerait. Jusque-là, tout allait bien.

Dans la salle d'attente des passagers en transit, nous n'étions plus que cinq Américains. J'étais la seule femme et ce constat, bien qu'anodin, me réjouit. Je portais un foulard à la Benazir Bhutto et cela aussi m'émoustillait. Je me gardais bien cependant d'afficher une décontraction malvenue devant Yann et les autres qui, quoique habitués à de telles conditions de voyage, semblaient anxieux. Le local où nous étions assis ressemblait à ceux que j'avais vus dans des films sur la guerre et le terrorisme. Le long des murs décrépis se reflétait une lumière blafarde, les néons grésillaient, les meubles étaient dépareillés et les claviers d'ordinateurs privés de plusieurs touches. Il y avait aussi une rangée de bureaux derrière lesquels des hommes parlaient si fort que l'on craignait que ne survienne une bagarre générale. Mais, au lieu de cela, ils se tapaient dans les mains et pouffaient de rire en se prenant dans les bras. Ce pays était pétri de contradictions, on y pendait les homosexuels mais, à la moindre occasion, les hommes adoraient se tripoter. Sans que l'on sache s'ils étaient douaniers, balayeurs ou porteurs, ceux-ci détonnaient dans cette partie de l'aéroport réservée aux vols domestiques. Là où nous avions atterri, leurs uniformes surannés permettaient au moins de les différencier. Mais, ici, ils portaient tous le même costume : celui des exclus qui ne regardent jamais vers l'extérieur. Dans cette salle d'attente, j'essayai de ne rien faire d'autre qu'attendre pour montrer à Yann que je n'étais pas venue ici en touriste. Pourtant, il y avait mille détails que j'aurais voulu photographier et mettre en ligne sur mes différents comptes de réseaux sociaux. Mais je m'abstins. On embarqua rapidement. Le vol fut agité. L'avion se posa comme convenu trois heures plus tard sur une piste de ciment qui ne présentait qu'un virage, conduisant à l'unique terminal. En descendant de l'appareil, je fus assaillie par un remugle de terre mouillée et infectée. À travers le hublot, juste avant d'atterrir, j'avais cru deviner une immense quincaillerie à ciel ouvert. À présent, je la respirais. Il y avait des impacts d'obus dans le sol et de balles dans les murs. Cela aurait pu être amusant si ça n'avait pas été réel.

Nous passâmes la douane sans encombre. Je suivis Yann comme il m'avait dit de le faire. Le bruit du tampon apposé sur le passeport retentit et ce fut terminé. Deux hommes nous attendaient dans le hall des arrivées. Yann les connaissait depuis longtemps. Ils ne s'étreignirent pas comme les tripoteurs de l'aéroport mais leurs poignées de main énergiques en disaient long sur les épreuves qu'ils avaient dû partager. Yann me présenta à celui qui allait, pour les prochains jours, être ma boussole. Je tendis mécaniquement ma main vers la sienne. Elle ne rencontra aucune prise. Je la rangeai donc vite dans ma poche, où je me promis de la laisser désormais. Il s'appelait Hamza Vafaï et j'allais séjourner dans sa famille, qui habitait le village de Bilqiss. Yann avait beaucoup d'estime pour eux et leur faisait une confiance totale, je partais donc sereine. On se quitta sans effusions pour ne pas nous faire remarquer. Ma mère s'était un temps intéressée à la morphopsychologie et, pour avoir parfois mis mon nez dans ses livres, je fus d'emblée rassurée par le visage de Hamza, qui n'avait rien de pernicieux.

À l'intérieur du véhicule, une sorte de pick-up en mauvais état, Hamza me tendit la main et serra la mienne chaleureusement.

« À l'extérieur, c'est interdit, mais en privé on fait ce que l'on veut. Bienvenue, Leandra. Voici Alna, ma petite sœur. »

Cette dernière était assise à l'arrière, somnolente mais heureuse de rencontrer « une Américaine du bon côté », disait-elle. Elle était notre caution morale. Avec une petite fille, il nous était impossible de copuler sur les sièges avant puisque, d'après la rumeur, c'était à cela que s'adonnaient tous les hommes et toutes les femmes du monde lorsqu'ils se retrouvaient sans surveillance. À croire que l'humanité se divisait en deux catégories : les gros baiseurs et les grosses baiseuses.

Dans la blancheur de l'aube, nous quittâmes l'aéroport délimité par un grillage de barbelés et nous nous engageâmes dans la rue principale bordée de trottoirs tortueux. Plus loin, des vestiges d'anciens bâtiments rappelaient qu'il y avait eu ici une vraie ville autrefois, en état de marche, avec administration, secrétariat et téléphones qui sonnent. Des ombres fantomatiques traversaient la route puis s'engouffraient dans des dédales de ruelles. À la sortie de la ville, je vis pour la première fois une femme recouverte d'une burqa lavande. Je fus chamboulée. Ça n'avait plus rien de fictif. Et au lieu de juger cela abject comme quand j'étais à New York, je trouvai cela magnifique. Je n'avais à vrai dire rien vu d'aussi beau depuis longtemps. En passant près d'elle, retranchée derrière sa visière, j'essayai de capter son regard, mais elle pressa le pas et se fondit dans un quartier de maisons en terre. Malgré la guerre, le sens de l'esthétique de ces gens était resté intact. Voilà ce que je me surpris à penser quand je vis cette pauvre femme musulmane opprimée traverser la route.

À neuf heures du matin, nous arrivâmes enfin. Aux portes du village nous accueillait un immense marché aux bêtes. Ailleurs les rues n'étaient qu'une succession de palissades en béton trouées par les obus et d'immeubles désertés. Les hommes allaient et venaient sans se soucier de la circulation. Ils continuaient à faire du commerce. Sur leurs étals, au bord de la chaussée ou dans une échoppe, on négociait les prix. Les yeux ourlés de khôl et superbement enturbannés, ils couvraient de leurs voix les klaxons et les insultes des automobilistes qui devaient se frayer un passage parmi la foule. Notre véhicule tourna au niveau d'un tank abandonné et nous nous enfonçâmes dans une sorte de bidonville de tôle qu'un très joli minaret bleu Majorelle consolait. Une fois dépassé, nous débouchâmes sur un chemin de terre qui conduisait à un hameau. La petite fille à l'arrière me montra du doigt leur maison puis, dans un anglais parfait, ajouta :

« Nous avons le plus beau potager de la province. Mais d'ici tu ne le vois pas, il est caché derrière un muret. Il ne faut pas attirer le mauvais œil... »

Lorsque nous pénétrâmes dans le patio, les membres de la famille de Hamza prenaient le thé, dispersés le long d'épais tapis de laine que plusieurs tables basses desservaient. Alna se jeta dans les bras de son père, un homme encore jeune qui s'empressa de la serrer contre lui. La mère, une femme au physique avenant, se redressa puis me tendit la main, alors que je m'attendais à donner l'accolade. Par chance, je me retins juste à temps. Je n'avais pas encore tous les codes en tête. Et puis, j'avais été surprise qu'Alna enlace aussi librement son père. Le mien avait toujours été très câlin donc je ne m'offusquais pas de cette proximité, mais ici, où les hommes étaient censés être des bourreaux arriérés, je m'en étonnais. Il me tendit à son tour sa main, que j'empoignai chaleureusement. Il sourit et m'invita à m'asseoir à côté de lui. Aussitôt, un verre de thé sucré au miel de ronce me fut servi, annonçant un ballet de douceurs orientales que je dus, par politesse, honorer jusqu'au bout. Les femmes portaient nonchalamment un voile sur la tête et, lorsqu'il tombait sur leurs épaules, elles se hâtaient de le rajuster. Mais ce n'était rien de plus qu'un accessoire. Elles se drapaient dedans et, quand elles se levaient, un long pan de tissu flottait derrière elles pour le bonheur visuel de ceux qui restaient assis. Cela me donnait très envie d'en porter un moi aussi. Ce morceau d'étoffe enveloppant rendait le moindre déplacement aussi poétique qu'épique. D'ailleurs, le premier que je fis, barricadée dans une burqa noire, le fut aussi. Après seulement quelques pas je trébuchai sur un gros caillou. Je m'exerçai alors devant leur maison avec trois des sœurs de Hamza, qui se moquaient de ma foulée hésitante. À chaque obstacle, je proférais des grossièretés en anglais qui faisaient rougir Alna et Bahati. Zuleikha, moins expansive, se tenait adossée à un immense tronc d'arbre grêlé d'impacts de balles. Nous passâmes un merveilleux moment toutes les trois alors qu'elles s'efforçaient de m'apprendre à marcher avec un voile intégral. Lorsque je leur demandai ce qu'elles éprouvaient à devoir le porter tous les jours, Bahati me répondit simplement :

« On n'a pas le choix, on le porte, c'est tout. Mais on les emmerde. »

J'aimais la manière dont elle se délestait du problème. Elle les emmerdait puisqu'elle ne pouvait rien faire de plus. Elle préférait se battre pour quelque chose qu'elle maîtrisait : son érudition. Encouragée par des parents éclairés, elle allait bientôt se présenter à l'examen d'entrée de la faculté de médecine de Tripoli, où un vieil oncle à elle enseignait. Elle ne désespérait pas que sa demande de visa aboutisse et, si ça échouait, elle recommencerait, me dit-elle, remplie d'une foi immarcescible. Elle ne se donnait pas d'autre choix que de devenir la plus grande chirurgienne de tous les temps. Cela me fit sourire mais Bahati parlait sérieusement. J'aimais cette certitude chez elle, cette confiance puisée dans des années de privations et d'acharnement.

Dans la chambre qu'ils avaient aménagée pour moi, une sorte de dispensaire désaffecté, Zuleikha vint m'apporter une burqa à ma taille. Elle s'assit sur le bord du lit puis me confia qu'elle connaissait Bilqiss. Elle commença par me dire qu'elle allait évidemment mourir et que le très louable combat dans lequel je m'engageais était vain. Et cela n'avait rien à voir avec la longue liste de ses prétendus péchés. Sa véritable faute était d'être une femme seule. Pauvre, veuve et marginalisée, personne au village ne savait quoi faire d'elle. Ses parents étaient morts quand elle était enfant. Son grand-père l'avait vendue à un ancien pêcheur reconverti dans la canaillocratie religieuse, tantôt chauffeur d'un *fqih*, tantôt mouchard pour les mollahs. Même ici, la naissance prévalait sur les compétences. Dans une société normale, Bilqiss serait devenue une conteuse renommée ou une auteure célèbre. Mais dans un pays où la tradition orale était encore très ancrée, museler les hommes et les femmes de savoir revenait à en tuer l'âme. Il y avait ceux qui refusaient d'être des zombies et il y avait les autres, qui s'en accommodaient. Voire que ça arrangeait. Zuleikha et elle avaient été à l'école ensemble autrefois, dans la classe de la veuve du juge qui la condamnait aujourd'hui. Elle m'assura que Bilqiss avait quelque chose en plus. Quand je lui demandai quoi, elle me répondit :

« La grâce. »

Elle me raconta aussi Nafisa, leur ancienne institutrice. C'était elle qui avait révélé Bilqiss. À cette guenilleuse tapie au fond de la classe, elle avait appris à s'asseoir au premier rang, à lever la main sans cesse et à rire à pleines dents même s'il lui en manquait certaines. Elle la comparait souvent à Shéhérazade car, disait-elle, Bilqiss s'adressait aux âmes quand les autres récitaient par cœur. Après son mariage forcé, Nafisa avait continué à lui enseigner des choses. Bilqiss enterrait des livres dans son jardin, elle endormait son mari avec du chloroforme puis dévorait les poèmes de Hafez, de Djâmi et de Gibran jusqu'à son réveil. Des romans et des ouvrages d'histoire avaient aussi été déterrés par la police religieuse lors de la perquisition menée chez elle.

« Dans les vidéos que j'ai vues sur le net, il me semble que Bilqiss a un vocabulaire très châtié. Et une verve audacieuse qui contraste avec l'idée que l'on se fait d'une femme d'ici.

– Voulez-vous savoir quelle idée on se fait d'une femme de là-bas, nous ? »

Zuleikha sortit soudainement de ma chambre. Je restai sans voix après notre échange que je pris pour ce qu'il était : un avertissement cordial. À mon arrivée déjà, elle n'avait pas été chaleureuse. Pendant qu'on prenait le thé, son père avait tenu à me rendre hommage, ainsi qu'à Bilqiss pour qui, avait-il précisé, il avait beaucoup de tendresse. Je m'étais associée à lui en faisant à mon tour un panégyrique enthousiaste de cette femme iconique et inspirante pour chacune d'entre nous. Bêtement, j'avais levé mon verre à thé mais personne ne m'avait suivie. Ici on ne portait pas de toast.

« Comment savez-vous qu'elle est innocente ? Peut-être a-t-elle fait quelque chose de grave... »

Zuleikha ressurgit dans ma chambre alors que j'effaçais les messages de James sans les écouter. Je ne compris pas tout de suite à quoi elle faisait référence, mais elle m'éclaira rapidement :

« Ce matin, dans votre vibrant hommage à Bilqiss, vous n'avez pas évoqué une seule fois la possibilité qu'elle soit coupable.

– Eh bien, je... Il me semble que... Enfin... rien ne justifie à mes yeux une lapidation... Peu importe que l'on soit coupable ou non.

– Je suis d'accord, mais rien ne vous dit non plus que Bilqiss soit innocente. Vous n'en savez rien mais vous êtes là. Vous avez vu trois ou quatre vidéos, elles vous ont émue et vous avez immédiatement pris le parti de cette pauvre femme voilée car elles vous font de la peine, les femmes voilées. Pour elles, vous montez vite au créneau sans rien vérifier. Votre condescendance, pour ne pas dire votre ingérence dans nos affaires internes, même barbares, me laisse perplexe. Je tenais à ce que vous le sachiez. On vous attend pour le dîner, conclut-elle. Il y a des *bolanis* aux poireaux, vous verrez, c'est délicieux. »

La manière dont elle changea de ton pour m'inviter à dîner me terrifia plus que le reste. Je fus d'abord étonnée par ses propos, puisqu'elle semblait défendre un système dont elle et sa famille souffraient. Elle me fit penser à une amie juive de New York très engagée pour la paix au Proche-Orient qui, entourée d'amis juifs, n'hésitait pas à vivement critiquer Israël mais qui, au milieu de gens hostiles, le défendait avec fougue. Pour elle, je n'étais qu'une Américaine pétrie de bonnes intentions qui venait donner de la voix à une héroïne. Mais qu'en serait-il une fois mon papier terminé ? Qu'avait-elle à gagner à être une héroïne là-bas et une traître ici ? Rien. Tout à perdre, au contraire. Leurs affaires internes, même barbares, on ne s'y aventurait pas à la légère. Je crois que ce fut ce qu'elle essaya de me dire.

Je les rejoignis à table et m'installai à la gauche de Hamza, qui m'apprit la bonne nouvelle. Son contact lui avait communiqué les horaires d'arrivée du juge à son bureau. Il suffisait que je sois devant le tribunal à l'heure dite pour lui demander de me recevoir. Le juge était un homme plutôt courtois avec un penchant pour la lumière. Il serait flatté de répondre aux questions d'une journaliste américaine, ils en étaient convaincus. Le père me conseilla de revêtir une burqa pour m'y rendre mais de ne conserver qu'un voile pour l'aborder. Il fallait qu'il sache immédiatement que j'étais occidentale afin de ne pas être gêné vis-à-vis des curieux alentour.

J'allai me coucher avant tout le monde comme une élève consciencieuse la veille d'un examen. De ma chambre, j'entendis leurs rires se prolonger jusque tard dans la nuit. Ils veillaient souvent et rattrapaient le sommeil perdu le lendemain après-midi avec une courte sieste. Zuleikha avait mis en doute ma bonne foi. Pourtant, si j'étais naïve, je n'en étais pas moins sincère. Mon téléphone retentit au moment où j'allais l'éteindre. Kenneth Smoller m'envoyait un SMS : « Dingue, la première dame a parlé de cette Bilqiss aujourd'hui à la télé. Fais ce que tu veux, convertis-toi, couche avec le juge, mais ramène-la à NY » ; suivi d'un deuxième message : « Enfin c'est une expression, ne la ramène pas, tu en serais capable. » Au troisième, « Et prends des photos le jour J », je ne répondis rien. D'agacement, je les effaçai tous. Je m'allongeai entre des draps parfumés à la fleur d'oranger et, avant de m'endormir, je me repassai le film de ma journée en griffonnant sur mon calepin les anecdotes qui l'avaient rythmée. J'y notai un échange sympathique que j'avais eu avec le patriarche quand, en plein après-midi, alors que beaucoup faisaient la sieste, j'avais vu les deux frères et la petite sœur patauger dans le bassin au milieu du patio. Alna portait un caleçon en jersey lilas ainsi qu'un marcel fleuri et ses frères, des maillots de bain qui recouvraient les genoux. Leur père avait remarqué mon étonnement et, d'un regard, m'avait autorisée à lui en demander plus.

« C'est rare de voir ça ici. Je croyais que les femmes n'avaient pas le droit de se baigner.

– Si mes fils ont chaud, c'est que mes filles ont chaud aussi. »

Le lendemain matin, emballée dans ma burqa, j'étais prête à rencontrer le juge. Il y a des choses auxquelles on ne se fait jamais. Moi, c'est l'avion. Encore aujourd'hui, je ne rate rien du décollage en me faisant la même remarque à chaque fois : ça y est, on n'est plus sur la terre, on est dans l'air. Eh bien, ce matin-là, je n'en revenais toujours pas d'être ici. Trois jours auparavant, je découvrais un juge et sa condamnée sur des vidéos de mauvaise qualité, et aujourd'hui, à l'autre bout du monde, je m'apprêtais à lui parler. Je ne savais pas encore si c'était une chance mais c'était certainement déjà une victoire.

Sur le chemin, des gabelous nous arrêtèrent à un check-point à cause d'un attentat perpétré par des miliciens pro ou anti (plus personne ne faisait la différence, me dit Hamza) dans une province voisine. Nous en découvrîmes un second à l'entrée du village, près des bâtiments administratifs, que nous passâmes aussi facilement que le précédent. Hamza se gara à quelques mètres du tribunal puis alla s'entretenir avec son contact. En l'attendant, je regardais le village s'agiter autour de moi. Encore une fois, la photo était belle. Les hommes ambulaient, les femmes filaient. Des petits morveux aux pieds nus et aux lèvres gercées par les changements de saison extrêmes se couraient après, des cagnards tenaient les murs en lissant leurs barbes teintes au henné, des vieux baguenaudaient d'une échoppe à l'autre les poches vides et de toute façon trouées, des brigadiers de la vertu, bâton à la main, guettaient le moindre écart de conduite pour frapper avec force. Devant moi, ce fut un homme âgé qui en pâtit. Il semblait qu'on lui reprochât la longueur de sa barbe. Elle n'était pas conforme à la loi islamique. L'homme s'enfuit sous les coups, moqué par les enfants qui ne tardèrent pas à en prendre aussi puisque, rire, c'était également pécher. L'envie de tout photographier me passa. J'étais déjà moins contemplative que la veille. Peut-être parce que l'arrière-goût du spectacle avait des relents de fin du monde.

Comme prévu, le juge arriva à dix heures. Hamza me fit signe d'y aller. Je sortis de la voiture et m'avançai vers lui simplement.

« Bonjour, monsieur, je m'appelle Leandra Hersham et je suis une journaliste américaine. J'aimerais vous poser quelques questions, s'il vous plaît. Accepteriez-vous d'y répondre ? »

Drapé dans son air taciturne, feint ou réel, le juge me laissa m'essouffler sur mon parcours et les attentes qui avaient été les miennes en venant jusqu'ici. Je ne cherchai pas à l'amadouer en louant son impartialité, j'y étais vraiment sensible. Je ne cachai pas non plus l'immense émotion que Bilqiss, qui, selon moi, ne méritait pas d'être lapidée, avait fait naître en moi. Il me recadra lorsque j'affirmai que la lapidation n'était pas un précepte moral islamique parce que je l'avais vérifié auprès de mes amis musulmans. Et dans le Coran. Je l'avais lu intégralement lors d'une retraite au centre juif Isabella-Freedman dans le Connecticut, trouvant cela à la fois audacieux et moderne. Je me gardai bien de partager cette appréciation avec lui et, pour qu'il ne se braque pas, lui fis part de l'agréable surprise que sa lecture avait suscitée chez moi. Il salua l'effort mais m'invita à rester là où j'avais pied.

Je relevai mes manches comme on le fait devant un grand chantier, pressentant que rien n'était gagné. Il regarda mes poignets et aussitôt je craignis d'avoir commis une faute. Ici, les gestes les plus anodins prenaient une connotation sexuelle délirante, si bien que j'hésitai avant de les rabaisser. J'y renonçai, en définitive, ce n'étaient que des poignets. Je continuai alors à expliquer ma démarche, mes aspirations, pourquoi elle et pas une autre, pourquoi venir jusqu'ici et pas seulement relater de là-bas, et lui posai enfin la question qui me brûlait les lèvres : pourquoi lapider une femme pour une faute si peu grave ? Ce fut un homme cauteleux qui prit la parole :

« Mademoiselle Hersham, notre religion a un but pédagogique : elle organise notre société. L'avis personnel importe peu lorsque l'on a des responsabilités comme les miennes. Ce n'est pas bien, ce n'est pas gentil, soit, cela fait de vous et de vos lecteurs des gens concernés. Mais mon rôle est plus ambitieux, il doit régir des personnes différentes, chacune ayant une définition particulière de ce qui est gentil ou de ce qui est mal. Bilqiss pourrait cependant invoquer Dieu publiquement pour échapper au châtiment, mais cette effrontée soutient que l'on ne partage pas le même. Que Le sien n'a rien à voir avec le nôtre.

Et qu'Il nous déteste. Nous ne pouvons tolérer cela pour le bien de la société. »

Je repris alors la parole et lui demandai, puisqu'il n'avait pas répondu à ma question, s'il savait d'où provenait une telle pratique puisque – et je fis exprès de le redire – aucune trace de la lapidation n'apparaissait dans le Coran.

« La lapidation est fondée sur un hadith.

– Qui l'a rapporté ?

– Eh bien, je ne sais pas enfin, c'était il y a si longtemps, un savant probablement.

– Non, c'était un boucher. Vous fondez vos lois sur des propos rapportés par un boucher.

– Et alors, qu'avez-vous contre les bouchers ? balbutia-t-il.

– Tout. Je suis végétarienne. »

Au centre de retraite juif, là où j'étais allée me reposer après la parution houleuse de mon article « Un Israël pour femmes », j'avais sympathisé avec un vieux professeur d'économie qui, comme moi, ignorait d'où provenaient les cornichons. D'un arbre ? De la terre ? Est-ce qu'un concombre en accouchait ? Alors que nous plantions des graines dans le potager, nous avions été saisis d'un fou rire qui s'était prolongé autour d'un thé pris dans les jardins de la ferme. Nous nous étions confiés l'un à l'autre puis il avait ri du sujet de mon article. Ri avec beaucoup d'indulgence. Et quand je lui avais avoué ma lecture du moment, il avait recommencé.

« Mais il n'y a rien de drôle à ça, c'est horrible, dans toutes les religions, les femmes sont systématiquement perdantes, on peut les battre, on a le droit de les répudier, mais arrêtez de rire, c'est atroce, non ? Regardez, la semaine dernière encore cette pauvre femme qui a été condamnée à la lapidation en Iran, Sakineh je ne sais pas quoi, ils sont complètement malades, ces mecs !

– Historiquement, la lapidation nous vient de la Loi juive, Leandra. Les juifs lapidaient les hommes et les femmes adultères. Cela relève de la loi mosaïque. C'est le Christ qui, le premier, contesta cette pratique en s'opposant aux membres du Sanhédrin. Lorsqu'un jour ils lui présentèrent une femme adultère, le Christ répondit : "Que celui qui n'a jamais péché lui jette la première pierre." Et ils se retirèrent tous les uns après les autres comme la belle bande d'enfoirés qu'ils étaient. Et que je suis. Et que vous êtes vous aussi, Leandra. Vous êtes une enfoirée.

– Moi ? Mais pourquoi ?

– Parce qu'on est là tous les deux dans une ferme et qu'on ne sait même pas d'où vient le cornichon. Vous savez, pendant longtemps j'ai cru que, les champignons, c'était de la viande. C'est fou, non ?

– Euh, oui…

– En revanche, j'ai toujours su plein de trucs qui ne servent à rien. »

Comme je le sentais ouvert, je m'autorisai à dire les choses sans détour. Le juge semblait avoir besoin de parler. Il se modérait pour ne pas paraître trop enthousiaste mais il tirait une certaine vanité de ma visite. Une vanité dérisoire qui m'attendrit le temps d'un battement de cils, jusqu'à ce qu'une pile de documents dégringole de son bureau et qu'une photographie de Bilqiss s'en échappe. L'on se regarda. Bien entendu, il se justifia.

« Voici un portrait prouvant qu'elle a posé pour un étranger alors que c'est interdit. Cette photographie fait partie de la longue liste de ses péchés. D'ailleurs, tous ces classeurs rassemblent les preuves accablantes de sa toxicité. »

Je ne sais pas pourquoi mais aussitôt je me demandai pour quelle raison la photo était glissée au milieu d'une pile de documents divers au lieu d'être rangée dans un classeur. Sur son bureau. À portée de main. Je gardai néanmoins cela pour moi.

Tout en ordonnant ses papiers, il m'informa qu'il allait rapporter notre entrevue à ses confrères pour savoir si j'avais le droit d'assister à l'audience. Je me permis de lui rappeler que le procès était ouvert à tous et qu'en burqa personne ne pourrait m'identifier, de sorte que cela ne perturberait en aucun cas son déroulement. Encore une fois, afin de ne pas donner l'impression que j'en savais plus que lui, je ponctuais chacune de mes phrases d'un « n'est-ce pas ? », comme pour lui donner le dernier mot.

« Le procès est ouvert à tous, n'est-ce pas ?

– Oui.

– Ainsi, je pourrais y assister anonymement et je ne perturberais pas son déroulement, n'est-ce pas ?

– Euh, oui, bien entendu. »

J'en vins alors au véritable motif de mon voyage. On ne venait pas jusqu'ici pour assister à un procès dont les images inondaient déjà le Net. Après mille détours plus ou moins bien amenés mais qui ne débouchèrent sur rien, je lui demandai s'il m'autorisait à rencontrer Bilqiss. Il fut surpris. Il s'apprêtait à dire « non », sauf que je tentai un coup de bluff.

« Je pourrais ainsi lui demander pourquoi elle semble si troublée lorsque vous vous adressez à elle. Vous l'avez remarqué, n'est-ce pas ?

– Non, je n'ai rien remarqué, protesta-t-il. Je regarde cette femme avec les yeux d'un juge, pas ceux d'un homme. Je ne vois rien d'autre qu'une pécheresse en elle. Vous, les Occidentales, si pleines d'affèterie et d'artifices, aimez broder là où il n'y a rien à tisser. Mais, si vous pensez que cette jeune femme est troublée, allez le lui demander si cela vous amuse et remplissez votre article de niaiseries comme le font tous vos journaux », conclut-il.

Dans des situations pareilles, il faut tout oser, comme les cons. J'avais eu un pressentiment à New York, qui s'était confirmé lorsque j'avais, pour la première fois, prononcé le prénom de Bilqiss. Le cou du juge s'était allongé comme celui d'un rouge-gorge en rut. Il semblait chamboulé, commençant une phrase sans la terminer, passant sans transition à une autre puis revenant à la précédente. Il feignit de lire un papier important, pourtant ses yeux étaient immobiles. Il s'appliquait à faire de Bilqiss un dossier de plus alors qu'elle était son ultime peine. Il manquait de conviction quand il la condamnait. Il s'emporta contre mon journal, mes manières et l'Occident tout entier mais il accepta que je la voie. « Pour parler chiffons », minimisa-t-il. Je ne m'en plaignis pas.

Il me fit accompagner jusqu'à sa cellule. Deux vilains étaient postés à l'entrée. L'un d'eux m'ouvrit la porte. À ma grande surprise, Bilqiss était en train de prier. Elle ne cilla pas. Je restai en retrait. Je la trouvai plus belle encore soumise à Dieu, les mains jointes et psalmodiant en silence. Quand elle eut terminé, elle plia soigneusement son tapis et desserra son foulard, qu'elle fit glisser sur ses épaules. Je découvris alors une femme à la beauté tragique. Une sourde colère brillait dans son regard. Sa chevelure était nouée en un chignon sage mais déstructuré, comme celui que l'on payait cher chez les coiffeurs en vogue. Encore une fois, je fus surprise de penser à ça, là, mais Bilqiss était si intimidante que tout se brouillait dans ma tête. J'avais tellement idéalisé ce moment qu'il avait fallu que je le ruine. Elle me dévisagea, s'assit, et me demanda avec naturel ce que je voulais. J'avais préparé des mots mais, aussitôt prononcés, ils sonnèrent creux.

« De quel combat parlez-vous ? me coupa-t-elle en plein élan.

– Eh bien, votre procès en est un, que vous le vouliez ou non, pour toutes les femmes du monde, vous êtes un exemple, balbutiai-je.

– Vous arrivez ici, dans mon pays, pleine de certitudes, d'émotions falsifiées et de charité intrusive, m'imposant un combat qui n'existe pas, sans savoir si je suis coupable ou si je ne le suis pas.

– Je pense juste qu'aucun être humain ne mérite d'être lapidé, peu importe ce qu'il a fait.

– C’est la loi dans mon pays. »

Je repensai à Zuleikha et compris qu’elle avait voulu me prévenir. Ici, on ne déroulait pas le tapis rouge aux âmes charitables. Je me mis à toussoter bêtement sans savoir si je devais partir ou insister. Alors je fis comme avec le juge et tentai un coup de bluff.

« Aviez-vous envisagé, dans vos pensées les plus folles, que le juge tomberait amoureux de vous ? »

Elle fut si profondément troublée qu’elle en tressaillit. J’étais là depuis quelques minutes et déjà je perçais leur secret. La mine décomposée, elle attribua d’abord ces médisances aux gardiens de sa cellule puis se ravisa.

« Qui vous l’a dit ? Lui ? Ce n’est pas possible. Les gardes ? Vous les avez soudoyés ? Qu’ont-ils vu exactement ? Non, pas eux, ils lui sont fidèles. De toute façon, j’étais évanouie. S’il s’est passé quelque chose, je n’étais pas consciente. »

Bilqiss s’affolait comme une mouche dans un verre d’eau. Grâce à une méthode vieille comme le monde, elle venait de me confirmer ce que je supputais seulement. Elle m’offrait malgré elle le meilleur sujet dont une journaliste puisse rêver : l’impossible amour d’un juge fondamentaliste et de sa condamnée.

Inquiète à l’idée que ça s’ébruite, elle me rappela qu’ils la fouetteraient encore, la laisseraient se rétablir puis la lapideraient. Une accusation de plus ou de moins sur la longue liste de ses péchés ne changerait rien à son sort, elle retarderait juste son supplice.

« Et puis, sachez que, si vous voulez punir le juge en révélant notre histoire, vous risquez bien plus que lui. Ce baiser, il le niera et vous le paierez. »

Pourtant ce baiser avait existé, elle s'en souvenait et se mit à me le raconter dans une grande détresse. Le juge était en effet venu lui rendre visite le jour où elle avait reçu trente-sept coups de fouet pour avoir insulté l'avocat de l'accusation. Alors qu'elle était terrassée par la douleur, il lui avait apporté de la crème apaisante qu'il avait refusé de lui appliquer. Elle en profita d'ailleurs pour me demander le même service. Elle me tendit un tube de gel froid, releva sa tunique en soie satinée et m'offrit son dos recouvert de plaies séchées d'un brun rubescent. Émue, je marquai un temps avant de m'exécuter, les doigts tremblants, contournant les endroits où la chair était encore à vif. Je commençai par l'effleurer puis, le haut du corps et la nuque ayant été épargnés, la frictionnai plus énergiquement. D'un coup d'épaule impatient, elle me demanda de masser plus fort, ce que je fis, m'approchant de son corps et prenant appui sur elle. Je découvris ainsi sa poitrine parfaite qui, malgré les secousses répétées, ne valdinguait pas en tous sens. Fermes et ronds, les seins de Bilqiss n'avaient jamais été maltraités par la bouche d'un enfant. Plutôt que de s'en émouvoir, elle avait, lors d'une audience où on le lui avait reproché, déclaré que c'était la meilleure chose qui lui soit arrivée, « parce que mon corps est intelligent et il refuse de donner la vie pour qu'elle finisse entre vos mains ». Et puis elle se redressa, laissa glisser sur elle sa longue tunique et revint à l'histoire du baiser. Après l'épisode de la crème apaisante, le juge était donc revenu à la nuit tombée lui apporter des olives violettes au piment ainsi qu'une brioche à l'anis. Encore flous, elle démêlait, tout en me les racontant, les souvenirs réels des romancés.

« Il s'est précipité vers la sortie, je ne sais plus trop pourquoi, et puis il a renversé les olives par terre et comme je ne pouvais plus bouger, eh bien je me suis endormie sur ma paillasse, bercée par la douleur. »

Et ce baiser ? pensai-je.

« Mais il est revenu. Je souffrais trop pour dormir comme pour rester éveillée. Il est revenu et, bien que j'ai été somnolente, je me souviens d'un premier baiser sur mes lèvres absentes, puis d'un second sur mes lèvres plus épanouies. »

D'une pâleur exsangue, Bilqiss s'effrayait elle-même en se remémorant cette scandaleuse parenthèse. Elle planta son regard dans le mien et, comme si elle s'adressait à son accusateur, elle me prit à partie, hurlant que je ne pouvais pas comprendre la sécheresse émotionnelle dans laquelle elle vivait depuis toujours, qu'avant cet homme jamais elle n'avait respiré l'odeur du désir, que sa vie de femme mariée n'avait été qu'une succession de viols maquillés en relations conjugales, qu'elle s'en voulait mais qu'elle avait aimé être caressée et embrassée par un homme, fût-il son bourreau. Je la calmai, lui témoignant une profonde empathie, la rassurai et lui promis de ne jamais rien révéler.

« Je suis de votre côté, Bilqiss, croyez-moi, vous pouvez tout me dire, jamais je ne trahirai votre secret. »

Alors elle continua son récit, dans lequel je plongeai allègrement. Bilqiss, à partir de là, ne m'épargna aucun détail. Il déchira des morceaux de brioche qu'il posa sur ses lèvres, les poussant de son index à l'intérieur de sa bouche. Il l'effleura d'abord de ses doigts, relevant les mèches qui dégringolaient sur son visage pour les coincer derrière son oreille. Il descendit le long de sa nuque puis de sa poitrine jusqu'à ce qu'un tressaillement la parcoure et l'interrompe.

Il s'écarta d'elle un court instant mais, lorsqu'elle entrouvrit la bouche pour en réclamer plus, il l'étreignit avec une ardeur sauvage, presque colérique. Ils s'embrassèrent aussi longtemps qu'ils purent se passer d'air. Bilqiss garda les paupières closes. Ainsi, elle se protégeait. Dans le noir, ce n'était pas vraiment arrivé. Dans le noir, ce qu'elle ressentit dans le bas de son ventre n'était rien de plus qu'une sensation nourrie par trop d'imagination et de rêves impudiques. Dans le noir, elle vit sa chair reprendre de la couleur, dans le noir, elle desserra les jambes pour y accueillir la vie, dans le noir, elle gémit et ce ne fut pas à cause de son dos.

Elle s'arrêta net. Elle ne m'en dit pas plus. Comme si elle voulait malgré tout conserver un peu de ce moment pour elle seule. Elle se retrancha en elle-même et redevint méfiante, insistant de nouveau pour savoir qui. Comment. Et quand.

« J'ai suivi mon intuition, Bilqiss. Depuis le début. Déjà à New York, sur les vidéos que j'ai visionnées, la clémence du juge à votre égard m'a interpellée. Ses gestes aussi. Ils sont ceux d'un amoureux retenu en esclavage par sa propre morale. »

Son ricanement sardonique me fit penser à celui de Rula quand je lui avais fait part de mon impression. Les deux Orientales partageaient cette même haine du sentimentalisme. Bilqiss mit fin à notre entretien en dépliant à nouveau son tapis de prière, qu'elle dirigea vers La Mecque. Elle se couvrit d'une longue robe noire serrée d'un élastique au cou. Je pris mon sac et sortis de la cellule. De derrière les barreaux, je lui demandai si elle voulait que je lui apporte quelque chose le lendemain. Du *halva* et des *golchis*, me répondit-elle. Je répétai ces mots en phonétique dans ma tête pour faire croire qu'ils m'étaient familiers. Puis je revins sur mes pas et lui posai une dernière question avant qu'elle ne s'immerge dans sa prière :

« Vous priez encore Dieu ?

– Bien sûr. Pourquoi ne le ferais-je pas ?

– Eh bien, il me semble qu'Il vous a abandonnée ces derniers temps.

– Allah ne m'a jamais abandonnée, c'est nous qui L'avons semé. »

Je souris de bon cœur. Je respectais sa foi. Intacte malgré l'infamie.

« Je pense que vous n'avez pas besoin de prier, Bilqiss, vous irez au paradis, j'en suis certaine.

– Non. Nous irons tous en enfer, objecta-t-elle très sérieusement.

– Mais pourquoi ?

– Parce que nous aurions tous pu faire mieux. »

L'idiote. Allah, pardonne-moi de m'être moquée de cette Américaine et d'avoir inventé ce baiser ridicule entre le juge et moi, mais les occasions de m'amuser sont si rares que je n'ai pas pu m'en empêcher. Tu l'aurais vue boire mes paroles comme on s'abreuve d'un élixir, c'était jouissif. Une pintade romantique avec des velléités de journaliste de terrain, c'était trop tentant. Je l'imagine à présent retranscrire d'une main passionnée cette histoire bouleversante dans son carnet de voyage. Je l'entends se dire : « Voilà, je tiens quelque chose de turbulent et de transgressif que les mères de trois enfants démocrates vont aimer lire. » S'en inspirer, aussi. « Si Bilqiss couche avec le juge alors je peux moi aussi le faire avec mon collègue du département juridique, le beau Brad. » Le sexe est devenu une telle préoccupation pour eux, un tracas petit-bourgeois expliqué, raconté et analysé sans aucune pudeur. Et s'il n'y avait en définitive rien d'autre à faire que le faire. Faire l'amour. Le pratiquer, l'explorer et inviter le diable pour un plan à trois.

Ainsi se déroula ma première rencontre avec Bilqiss. Je n'avais pas jugé opportun de lui montrer le mug avec son portrait dessus, de peur de passer pour une groupie. Je ne voulais pas qu'elle se méprenne à mon sujet. Sur le chemin du retour, dans la voiture de Hamza, je griffonnai sur mon calepin des choses qu'elle avait dites, d'autres seulement suggérées. Pourtant, l'essentiel de ma journée m'échappait. Je ne parvins pas à en retranscrire son déroulement aussi passionnément que je l'avais vécu. Tout me semblait terne en me relisant, ni à la hauteur de ce que j'avais entendu ni à celle de ce que j'avais éprouvé. À peine réussis-je à dépeindre l'âpreté de sa cellule, le visage étique d'un des gardes et le crâne marbré de cicatrices de l'autre. Pleine d'une énergie nouvelle, je refermai mon Moleskine et décidai de ne plus rien y consigner. Bilqiss m'avait si profondément conquise que je savais qu'elle se révélerait à moi quand j'aurais besoin d'elle. Un magnifique coucher de soleil devenait, aussitôt qu'on le prenait en photo, un coucher de soleil merdique. Il fallait accepter que les choses nous échappent parfois pour mieux les retrouver. Qu'un soleil n'entre pas dans le cadre, par exemple. Bilqiss n'avait rien à faire sur un calepin. Encore moins sur un mug.

Quand j'arrivai à la maison, personne ne se soucia de ma journée. Zuleikha, ses sœurs et ses frères étaient en train d'étudier avec leur père tandis que leur mère brodait un immense canevas sur lequel je discernai une odalisque camouflant un sabre sous son corps alangui. Après m'être rafraîchie et assoupie une demi-heure, nous partageâmes le traditionnel goûter en famille, qui s'étendit au dîner tant le patriarche avait d'histoires fantastiques à raconter. À chacune d'elles, je l'interrompais en demandant, admirative, si c'était vraiment arrivé, ce à quoi il répondait d'un signe poli mais agacé de la tête. Dans mon enthousiasme, je le coupai une fois de trop quand Zuleikha perdit patience et me dit sur un ton lapidaire que la vérité n'avait aucune importance, ce qui en avait en revanche c'était que je les laisse voyager avec leur père.

« Leandra, ce que ma fille essaye de vous dire, c'est que votre obsession de la vérité ne fait pas partie de notre culture, plus orale que la vôtre, vous l'aurez remarqué. Lorsque je raconte des histoires à mes enfants, peu importe que ce soit arrivé ou pas, l'important est que je partage avec eux un moment joyeux et que je leur transmette une partie de ma vie, enjolivée ou non. La vérité n'intéresse personne, venant d'Amérique, vous devriez le savoir. »

Je me tus aussitôt. Le sentiment désagréable d'être la vilaine Américaine superficielle commençait à m'agacer. À force de fantasmer leur passé, ils se coupaient de leur présent. Les vieux avaient toujours raison, les anciens étaient sanctifiés et leur jeunesse s'embourbait dans une eau stagnante. J'aurais aimé leur dire cela mais, même aux États-Unis, on respectait celui qui vous hébergeait et vous nourrissait. Je la bouclai donc et repris du café à la cannelle que la maman mit sous mon nez. Plus tard dans la soirée, je l'aidai dans la cuisine à disposer des entrées parfumées sur un plateau laqué et le plat principal dans de la vaisselle de Chine. J'en profitai pour lui demander où je pouvais me procurer du *halva* et des *golchis*. Elle fouilla dans ses placards et en ressortit un bloc emballé.

« Pour les *golchis*, me dit-elle, je t'en préparerai demain matin avant que tu ne partes au procès. » Spontanément, je la pris dans mes bras et me mis à sangloter. Elle n'était pas le genre de femme à apprécier les effusions affectueuses mais je ne lui laissai pas le choix et, contrainte, elle m'enlaça à son tour.

« J'essaye de faire du mieux que je peux, je débarque ici sans connaître vos codes, tout à l'heure je ne voulais pas fâcher votre mari, je voulais juste lui témoigner de l'intérêt, c'était ma manière à moi de le valoriser. Il pense que je l'ai traité de menteur mais ce n'était pas du tout mon intention, bafouillai-je.

– Leandra, c'est la raison pour laquelle il faut se méfier de ses bonnes intentions. Elles ne suffisent pas. Ce que nous connaissons de vous, c'est le pire : vos soldats, vos mercenaires, vos mensonges, le pillage que vous faites de nos biens et vos chanteuses dénudées. Vous arrivez chez nous, trop belle, trop gaie et trop chanceuse. Je sais que vous êtes admirative de notre famille et que, une fois rentrée dans votre pays, vous direz à tout le monde que nous ne sommes pas tous des terroristes, qu'il y a des gens incroyables ici, mais cela ne changera rien à nos vies. Nous sommes profondément malheureux, amers et désespérés. N'essayez pas de vous faire aimer de nous, nous n'en avons pas les moyens. »

J'apportai sur la table basse des plats copieux et variés puis m'excusai auprès du patriarche de ne pas dîner avec eux en prétextant une forte migraine. Il sortit de sa poche une poudre jaunâtre à diluer dans un verre d'eau tiède et vinaigrée. À peine étais-je allongée qu'on frappa à ma porte. La mère de famille venait déposer une assiette garnie à mon chevet, « Juste au cas où », me souffla-t-elle. Elle referma la porte en silence et je me dis alors qu'ils avaient de drôles de manières de ne pas aimer les gens...

Malgré les mots sévères de Zuleikha, je décidai de lui faire confiance. Ne rien écrire, ne rien noter, laisser les événements voyager en moi et me fier à ma mémoire sensorielle. Je croyais entendre ma mère mais, en effet, tout me semblait gravé dans mon esprit. Cette aventure ne ressemblait à aucune autre. Ils avaient beau la diminuer, l'embourgeoiser, je savais pour ma part qu'elle changerait ma vie. Restait à savoir dans quel sens.

Bilqiss présentait un visage où les contrastes s'harmonisaient. Elle était sûre de son charisme et de son envergure, sa beauté subtile ne se bradait pas aux yeux des grossiers, elle était glaçante et l'instant d'après enflammée, femme puis petite fille, imprévisible surtout puisqu'elle m'avait raconté d'abord ce qu'elle aurait dû garder pour la fin. Elle aurait pu éluder, rester vague, démentir aussi, mais elle avait préféré tout dire et revivre avec moi cette nuit-là en la rendant pour de bon au réel. À peine avais-je sous-entendu que le juge m'avait semblé troublé au cours de notre entretien qu'elle s'était lancée dans un récit effréné. Elle m'avait même avoué que son amant avait déclamé à son oreille, à la toute fin (elle ne prononça jamais explicitement l'« acte sexuel »), les vers de Rûmî, son poète préféré : « Ton nom est sur mes lèvres, ton visage est dans mes yeux, ton souvenir est dans mon cœur, à qui donc écrirais-je puisque tu te promènes en tous ces lieux ? »

Je ne pouvais m'imaginer une vie sans baisers. Le mari de Bilqiss, mort d'une mauvaise chute en réparant la parabole au-dessus de leur maison, ne lui en avait jamais donné. Le premier auquel elle avait goûté avait donc été celui du juge. « Rien ne pouvait séparer nos lèvres, qui d'habitude s'invectivaient, et encore moins nos corps, qu'à force on avait fini par dompter. Ce fut si puissant, Leandra, qu'aujourd'hui encore je me demande si c'était réel. » C'est ainsi qu'elle me l'avait relaté et que j'avais voulu me le figurer. Je m'endormis sur le souvenir de ses mots pour me réveiller huit heures plus tard, en pleine forme, avec une seule préoccupation : les *golchis* que j'avais promis à Bilqiss. Je les trouvai devant ma porte, dans un panier d'osier, recouverts de napperons épais pour en préserver la chaleur. Après une toilette de chat et un petit déjeuner gargantuesque, Hamza me fit signe qu'il était prêt à partir. Je revêtis ma burqa, un peu trop naturellement à mon goût, et m'en allai à l'audience.

Par commodité et pour ne pas inciter les avocats à trop en faire devant une étrangère, je la gardai sur moi et m'installai au fond, dans un coin, comme toutes les autres femmes. Je pensais découvrir une foire aux bestiaux, pourtant c'est un calme olympien qui régnait sur la salle quand j'y pénétrai. Tout le monde se retourna vers moi. Je n'étais pas si anonyme que je voulais bien le penser. Et la burqa ne cachait donc pas l'essentiel.

Les visages hâves et l'allure dépenaillée des gens du fond de la salle tranchaient avec les zélateurs du premier rang, le carré VIP du couloir de la mort, rempli d'avocats, de législateurs et d'exégètes à l'air infatué. Ivres de foi et sûrs de leur moralité, ils attendaient, avachis sur leurs sièges, que la pécheresse leur soit livrée. Quand enfin elle parut, ils se redressèrent, moins par politesse que par excitation. Autour de moi, les gueux se levèrent, tendant leurs cous décharnés pour l'apercevoir. Depuis son châtiment sur la place publique, le juge lui avait épargné d'être présente. Elle avançait, la tête toujours plus haute et le regard plus lointain, comme une méduse se meut dans l'océan, indifférente à ce qui l'entoure, semblant ne pas toucher le sol. Des chuchotements diffus traversèrent l'assemblée mais l'arrivée du juge les interrompit sans délai. Étant très grande, j'avais une vue panoramique sur la salle. Je scrutais les regards des deux amants, qui ne se croisèrent pas tout de suite. J'étais le seul témoin, avec Dieu, de cet amour inconcevable et j'en éprouvais, à tort probablement, une certaine fierté. On ne partageait pas tous les jours des secrets avec Allah quand on était juive comme moi. Je réprimai le ricanement idiot que cette image saugrenue m'avait inspiré, oubliant alors que j'étais invisible sous ma burqa et donc plus libre de laisser transparaître mes émotions. J'espérais que Bilqiss me chercherait du regard mais elle n'en fit rien. Je craignais qu'elle regrette après coup de s'être confiée à moi. L'audience débuta. Éthéréenne, elle se leva pour entendre une énième accusation.

« Lorsque vous avez déclamé l'adhan, vous avez déformé la parole de Dieu, vous avez dit, je vous cite, qu'Allah pardonnait à ceux qui ne priaient pas. En quelque sorte, vous les encouragez à se détourner du droit chemin et à devenir des mécréants. »

IV

Ce matin-là, je ne savais plus si le juge avait vraiment le pouvoir de me sauver ou s'il saisissait à travers moi le prétexte d'offrir une fleur à son salut. Tous dans la salle réclamaient que l'on me tue. Des théologiens étrangers s'étaient emparés de mon histoire pour qu'elle fasse jurisprudence. Ils se penchaient sur mon cas afin de convenir d'un châtiment proportionnel à la gravité du péché. Je les imaginais amollis sur des tapis, discourant sans fin pour s'accorder sur la punition à infliger à une femme qui déclamait l'adhan en le détournant de son sens originel. Originel, rien n'était moins sûr quand on savait le nombre d'illettrés qui siégeaient dans les oulémas. S'agissait-il d'un blasphème ou était-ce le fruit de la folie ? Telles étaient les considérations des savants musulmans d'aujourd'hui pendant que d'autres allaient sur la Lune. Sept siècles déjà que nous déclinions en regardant passer le train du futur sans pouvoir monter dedans. Sept siècles que le monde musulman respirait avec un seul poumon, payant au prix fort le musellement de leurs moitiés. Sept siècles que l'on appelait cela une régression féconde pour ne pas admettre le marasme. Il était loin, le temps où la valeur spirituelle d'un musulman se mesurait à la quantité de livres qu'il possédait, où les bibliothèques champignonnaient comme des minarets, loin aussi le temps où les mosquées, au-delà des salles de prière, abritaient le savoir que les hommes et les femmes pouvaient venir goûter sans distinction. Plutôt que de leur rappeler vainement ce que Nafisa me répétait souvent, je répondis ceci :

« Le prophète Muhammad, que la paix soit sur lui, a dit : "L'encre de l'élève est plus sacrée que le sang du martyr." Il a aussi dit que la science trônait bien au-dessus de la dévotion aveugle. Monsieur le juge, j'ai, en partant de cela, interprété ses mots et j'en suis arrivée à la conclusion qu'un maraîcher, un jardinier, un boulanger ou un professeur d'histoire qui ne priait pas pour se consacrer à son travail, donc à sa science, ne serait pas blâmé par Allah.

– Vous n'avez pas l'autorisation d'interpréter les mots du prophète Muhammad, que la paix soit sur lui.

– Et vous, l'avez-vous ? le coupai-je. Qui vous a octroyé ce droit et m'en a dénuée ? Le Coran vous appartient-il ? Le nom d'Allah a-t-il été déposé ? Vous avez volé Sa parole et L'avez pris en otage pour faire de Lui la marionnette dont vous êtes le ventriloque, Lui faire dire des abominations et vous réfugier derrière Sa grandeur. Car Allah est grand mais Il peut aussi être tout petit, invisible, s'Il le décide. Et ce jour-là, vous ne vous y attendrez pas, mais vous paierez pour tout le mal que vous nous avez fait. »

Je reçus un violent coup de ceinture contre ma joue par le même homme qui avait essayé de se déboîter l'épaule entre deux barreaux pour me frapper lors de la première audience. La sangle déchira mon arcade sourcilière et le cuir de la ceinture marqua ma joue en diagonale. Deux gardes l'empoignèrent aussitôt, obéissant au juge qui les somma de le faire sortir. Il vociféra encore quelques injures jusqu'à la porte d'entrée du tribunal, qui les assourdit une fois refermée. Dans la salle, les protestations abondaient, mais le juge y mit fin en coupant court à l'audience pour ce jour-là. Les gens se levèrent. L'Américaine fut la dernière à sortir. Elle m'encouragea discrètement de son petit poing serré qu'elle brandit dans ma direction. Les gardes m'escortèrent jusqu'à ma cellule où, normalement, m'attendaient du *halva* et des *golchis* encore chauds.

L'Américaine n'était pas là. J'aurais pensé que, après un échange aussi vif, elle se serait empressée de venir me voir pour m'apporter les mets et m'interroger à chaud, mais non. Alors, en l'attendant, je nettoyai ma plaie, recouvris la balafre de crème cicatrisante et m'allongeai sur ma paillasse en chantonnant *Sawah* pour couvrir les gargouillis de mon estomac qui se faisaient de plus en plus sonores. Je m'assoupis rapidement, jusqu'à ce que les grincements de la porte métallique me réveillent. Leandra se tenait devant moi, le visage renfrogné, un panier à la main duquel se dégageait un parfum d'amande et de fleur d'oranger. Je ne dis rien. Elle non plus. Laquelle de nous deux allait céder la première ? À ce jeu, j'étais la meilleure. Elle céda comme prévu :

« Vous m'avez menti !

– À quel sujet ? demandai-je avec aplomb.

– Votre nuit d'amour avec le juge. Vous m'avez menti. Elle n'a jamais existé. Ni baiser ni amour, rien de tout cela n'est arrivé. Vous m'avez menti !

– Je ne vous ai pas menti, Leandra, je vous ai donné ce que vous étiez venue chercher, dus-je reconnaître après une longue pause.

– Et que suis-je venue chercher selon vous ?
– Une histoire. Un sujet. Un conte qui se finit bien. Le portrait d'une femme extraordinaire. Il n'y a rien de tout cela ici. Il n'y a que la mort, et ça n'intéresse personne. »

Qu'avais-je dit qui ait pu la renseigner puisque la veille, débordante d'admiration, elle avait quitté ma cellule planant à un mètre du sol, ivre de ma nuit d'amour avec le juge ? Elle y avait tellement cru que j'en avais douté moi-même. Et puis, très vite, en la lui racontant, je m'étais souvenue comment, après avoir effleuré mes lèvres en y glissant un morceau de brioche, il avait déguerpi, terrorisé par ce déferlement de sensations inhabituelles en lui. J'étais à demi inconsciente mais je l'avais vu tressaillir comme une femme et s'enfuir comme un homme. Je m'étais amusée avec l'Américaine, friande de guimauve saupoudrée de bons sentiments, de films où le méchant ne l'était jamais totalement puisqu'à la fin il fallait qu'on l'aime un peu. Leandra était une jeune Occidentale trop enjouée pour admettre ma détresse sans essayer de l'abonnir. Forcément sincère dans sa démarche. Je refusais toutefois d'incarner ses craintes et encore plus que ma réalité serve de paillasson à ses rêves. Dans le portrait qu'elle voulait dresser de moi, c'était encore d'elle, la jolie blonde qui aurait courageusement bravé mille dangers, dont on parlerait au final, parce que les Occidentales ne savaient faire que cela : se gargariser de leur propre humanité. Leandra s'était jetée sur mon histoire pour l'écrire avec ses larmes teintées de mascara. Peut-être même que, un jour, je me retrouverais en tête de gondole dans les boutiques d'aéroports ou de gares au milieu d'autres best-sellers pour divertir ou émouvoir les voyageurs des long-courriers selon qu'ils aiment les femmes ou détestent les musulmans. Je refusais d'être une intermittente de leur spectacle. Le mien était insoutenable. Je n'allais pas me confier à cette femme qui avait tout de la prétendue meilleure amie qui s'empresse de vous répéter les vilaines choses qu'elle a entendues à votre sujet, sous couvert de bienveillance, bien entendu.

« Pourquoi n'avez-vous pas tout simplement refusé de me recevoir au lieu d'inventer cette histoire ?

– Parce que j'avais envie de *golchis* et de *halva*. »

Contre toute attente, elle me tendit le panier de douceurs encore tièdes puis sortit de son sac une Thermos et deux mugs. Elle s'agenouilla, les disposa par terre puis me servit du thé à la cardamome. C'était à mon tour de me sentir un peu bête. Je m'assis face à elle et piochai la première dans les *golchis*. Au moment où je portai le mug de thé à mes lèvres, je découvris mon visage et manquai de m'étrangler. Je me reconnus, adolescente, lorsque j'avais posé pour cet étranger qui m'avait donné en échange d'un sourire contraint des piécettes, deux livres, un magazine et le mode d'emploi de son appareil photo. C'était le portrait que l'avocat avait exposé lors du procès. La « beauté tragique au regard puissant » décorait donc des mugs. Voilà de quelle manière cet Anglais avait voulu manifester son soutien à mon peuple, sans violence, sans mots, juste avec des visages. Je me souvenais parfaitement de lui et de son gilet kaki avec de minuscules poches inutiles. Impossible de me contenir, je me mis à pleurer. J'étais ce que les chatons sont aux calendriers et les fleurs pastel aux cartes de vœux. J'étais celle qui empêchait les gens heureux de boire leur thé sans conscience, celle qui leur rappelait de trier les déchets, de manger bio, d'utiliser moins de papier, de donner à la Croix-Rouge, de proscrire l'huile de palme de leur alimentation, de prendre des douches plutôt que des bains, d'utiliser les transports en commun et des produits de beauté non testés sur les animaux, de sauver la forêt amazonienne et les phoques de la banquise, de ne pas abandonner leur chien au bord d'une autoroute, de faire du sport tous les jours et de manger équilibré, idéalement en petite quantité après dix-huit heures. Je reposai la tasse, l'échangeai contre la sienne et bus une grande gorgée de thé pour y noyer mon émotion. Ou ma rage. Leandra me raconta alors comment, après avoir visionné les vidéos de mon procès, elle avait réalisé que j'étais la jeune fille à la beauté tragique et au regard puissant. Mais, après toutes ces années où je l'avais accompagnée pendant ses pauses café et le dimanche devant un film, je n'étais plus que la fille sur le mug. Voilà ce qu'on faisait de nous quand on se confiait à des gens comme ça, bien intentionnés, émotifs et indignés, à des gens d'ailleurs pour qui l'humanitaire était un secteur d'activité comme un autre. Je n'avais pas envie de me retrouver sur des autocollants, des posters, des sacs et des tee-shirts, je n'avais pas envie que mon histoire inonde les pages froissées des magazines de salles d'attente, je n'avais pas envie d'être celle qui ferait relativiser les autres en leur faisant réaliser qu'ils n'étaient pas si malheureux après tout, ce que j'aurais voulu en revanche, c'est que le photographe m'emmène avec lui.

« Je suis désolée, Bilqiss, je ne voulais pas vous faire pleurer. Je ne me rendais pas compte à quel point l'objet est obscène. J'ai bu dans ce mug pendant des années sans éprouver une once de votre désarroi. Peut-être parce que c'est impossible. Ce que ce photographe a fait, c'est une sorte de viol au final, déplora l'Américaine, l'air compatissant.

– Non, c'est seulement du vol, la corrigeai-je. Le viol, c'est quand des mercenaires de votre pays viennent défoncer les portes de nos maisons, terroriser nos familles et qu'ils violent les pucelles parce que leur trou est aussi serré que le chas d'une aiguille.

– Pardon ?

– Pardon quoi ?

– Qu'avez-vous dit ? Je ne suis pas sûre de tout comprendre.

– Vous comprenez très bien, Leandra, et le pire dans tout cela, c'est que vous êtes condamnée à être patriote, vous avez choisi le Bien et il y a un prix à payer pour cela. Ne soyez pas si émotive parce que, à la moindre occasion, au moindre fléchissement, au moindre attendrissement de votre part, nous viendrons vous tuer. Si je prends le pouvoir, je vous tue, Leandra. »

Un garde vint interrompre notre terrifiant échange pour demander à l'Américaine de quitter la prison. Encore sous le choc de ce qu'elle venait d'entendre, elle rassembla ses affaires et, pantelante, sortit de ma cellule. Je lui commandai des gâteaux secs à l'écorce d'orange pour le lendemain. Elle acquiesça. Une fois parvenue à la porte, elle revint sur ses pas et me demanda :

« Comment être sûre que vous ne me mentez pas, cette fois ?

– Parce que, ça, vous n'aviez pas envie de l'entendre, Leandra. »

« Que vous veut cette Américaine ? » me lança le juge.

Son ton lapidaire m'extirpa du sommeil profond dans lequel j'avais plongé, repue, juste après le départ de Leandra. Il s'était une nouvelle fois invité à mon chevet, en pleine nuit, sans se soucier des deux vilains qui gardaient ma cellule. Il répéta sa question mais je n'y répondis pas plus vite pour autant. Je m'étirai comme une chatte persane, bâillai prodigieusement fort, frictionnai mon visage avec les paumes de mes mains puis je consentis à dire par-dessus mon épaule :

« Elle veut faire un portrait de moi, un article ou un livre, peu importe. Elle trouve abject que vous me lapidiez, en gros… »

Il se déchaîna sur l'Amérique, l'arrogance de son peuple et leur tourisme solidaire qui n'était rien d'autre que de l'ingérence. Tout ça, c'était la faute à l'Amérique, aux mécréants et aux ennemis de l'Islam ! En cela mon juge n'était pas différent des autres hommes, comme eux il ne se remettait jamais en cause. Je me souvenais m'en être fait la réflexion lorsque, un matin, mon mari s'était réveillé courbaturé, victime d'une sévère angine et maudissant la terre entière parce qu'il avait pris froid. Je m'entendais encore lui dire, la veille, alors qu'il se précipitait au café pour profiter des premières heures du printemps, d'enfiler son tricot de corps car « les rayons de soleil à cette période de l'année sont fourbes, Qasim, fais attention... ». Il ne m'avait pas écoutée et, très logiquement, il était tombé malade. Une vilaine habitude philologique de notre langue voulait que ce soit l'extérieur qui nous frappe et non l'inverse. Ainsi, nous ne disions pas « J'ai attrapé froid » mais « Le froid m'a frappé », « La fenêtre m'a cogné », « La soupe m'a brûlé ». Jamais nous n'étions responsables de ce qui nous arrivait. Nous étions éternellement irresponsables. Quand je lui avais fait remarquer cela, mon mari m'avait claqué la bouche d'un revers de la main en maugréant d'être si peu soutenu. Mais le juge sembla plus réceptif à mon raisonnement lorsque je le lui exposai. Il se tut, réfléchit un instant puis se mit à rire de bon cœur sans pouvoir s'arrêter.

« C'est donc la faute de notre langue si nous sommes aussi misérables... Mais bien sûr... »

Il continua à rire en énonçant des dizaines de tournures de phrases où l'on jetait la pierre au vent s'il soulevait nos jupes et au soleil s'il brûlait nos peaux. Le juge riait de bon cœur ce soir-là, il était détendu et insouciant. Je le préférais strict et inhumain pour pouvoir le mépriser impunément. Et puis soudain, il cessa de rire, sourit et se tut sans lâcher mon regard. Je m'inclinai et détournai la tête, troublée de lire dans ses yeux ce qu'il avait, jusqu'à présent, réussi à camoufler.

« Pourquoi me regardez-vous comme ça ? demandai-je.

– Parce que mes yeux ne m'obéissent plus. Mon cœur se rebelle et ma tête est en miettes.

– Pour un homme de loi, c'est ennuyeux.

– Pour un homme tout court, c'est le pire châtiment qui soit. »

Un petit jeu malsain s'était instauré sans que je le voie venir. La foule réclamait ma lapidation avec force à chaque audience parce qu'elle était certaine que le juge l'ajournerait une fois de plus. J'étais d'ailleurs devenue un pivot de l'économie du village puisque les cafés autour du tribunal prolongeaient les séances jusque tard dans l'après-midi, pour le bonheur des vendeurs de cigarettes et de beignets. Leandra, pleine de sollicitude, m'apportait tous les jours des douceurs et les derniers cancans à mon sujet. Elle avait le droit, en tant que journaliste américaine, de vadrouiller sur les terrasses avec calepin et stylo bien en vue. Je m'amusais de la voir porter la burqa alors qu'elle aurait pu se contenter d'un foulard et d'une tunique. Je la soupçonnais d'être avide d'exotisme, elle devait penser à tort que revêtir une burqa, faciliterait son immersion dans le pays. Comme celle-ci n'avait rien de définitif, Leandra portait la sienne comme un déguisement, alors que, pour nous, c'était une seconde peau. Une seconde peau pour nous caparaçonner comme de vulgaires juments bonnes à monter et bien entendu teinte dans des couleurs chatoyantes, allant du mauve au myosotis et du jais au jaune safrané. Ces salopards n'avaient pas de cœur mais ils avaient du goût, et lorsque nous nous faufilions au milieu d'eux ou disparaissions dans les ruelles sombres du village, c'est un tableau vivant qui se dessinait sous leurs yeux. J'avais d'ailleurs décoloré systématiquement toutes mes burqas dans des litres de Javel pour ne pas donner de relief à leur paysage. Pour hurler en silence tout le dégoût qu'ils m'inspiraient.

Un jour, un garde de la vertu m'avait arrêtée pour me signaler que la couleur de ma burqa n'était pas conforme. Je lui avais demandé à quoi elle n'était pas conforme et il avait eu le toupet de me répondre : « À l'esthétique islamique. » J'étais ravie d'apprendre qu'il s'en souciait, que les hommes vertueux n'étaient pas dénués de sens esthétique, que leur islam était sensible aux belles choses et que ma burqa délavée contrariait leurs petits yeux délicats. Bleuâtre, grisâtre, jaunâtre, c'était le seul moyen que j'avais trouvé pour les fâcher. Ils rendaient nos vies moches mais il fallait qu'elles correspondent à leurs critères de beauté. Forcément, l'échange se tendit lorsque je lui fis observer que sa remarque était obsolète. Puis je le priai de me laisser passer avec cette pointe d'arrogance que je marquais souvent en fin de phrase pour appuyer mon mécontentement. Il me rétorqua qu'il n'appréciait pas mon attitude et que l'impertinence chez une femme se conjuguait mal avec la vertu. Très vite, un petit cercle se forma autour de nous, chacun donnant son avis sur mon attitude. Certains y voyaient une forme d'insoumission ou de défiance à l'égard des autorités religieuses, d'autres me reprochaient d'être trop fantaisiste et que, en blanc, j'attirais davantage le regard puisque ce n'était pas la couleur traditionnelle. Comme tous ces hommes souffraient d'un ennui profond, le moindre incident de rue se transformait en un spectacle vivant au cours duquel ils pouvaient faire entendre leur voix chacun à leur tour avec pétulance. J'entendis l'un d'eux réclamer que l'on me fouette, un autre que je paye une amende, mais, d'un coup de bâton sur mon dos, le garde mit fin à cette saynète ridicule. Tous se dispersèrent petit à petit, s'empoignant chaleureusement après avoir été en désaccord. L'appel à la prière retentit et ils disparurent, rapides comme des flèches, dans la demi-douzaine de mosquées alentour. Je me retrouvai seule avec ma colère. La place était déserte. Les gardes de la vertu avaient déposé leurs armes à l'entrée des salles de prière. Il me suffisait d'en prendre une et de tous les dégommer de dos. D'exploser leurs cervelles gangrénées. J'aurais pu le faire, pourtant je ne le fis pas. Je ne sais pas ce qui, au-delà de l'envie ou du désespoir, me retint. Peut-être une fausse idée du bien. Le principe selon lequel on ne répond pas à la barbarie par la barbarie m'avait été enseigné par Nafisa. Elle ne cessait de me répéter qu'il ne fallait sous aucun prétexte devenir comme eux. Et puis, parce qu'elle était une femme de parole, elle retourna un jour la barbarie contre elle-même en rongeant ses propres poignets. Dick déclara la même chose, lorsqu'un soir je lui confiai avoir voulu les tuer pendant qu'ils priaient comme des bœufs. « Il ne faut pas perdre espoir et le bien triomphera, nous sommes là pour vous y mener et anéantir tous ces barbares », me dit-il avec la même intensité dans la voix que son recruteur avait dû déployer pour qu'il renonce à sa formation d'expert comptable. Je n'étais convaincue ni par Dick ni par Nafisa. Ce dont j'étais sûre, en revanche, c'est que, en les tuant, ils ne pourraient plus nous faire de mal. Ils priaient d'un même mouvement, rythmé et cadencé, leurs fessiers bien en vue m'offrant une cible de choix. Mais alors que j'allais m'emparer d'une mitraillette, les moins bavards quittaient déjà la salle de prière, la *zebîba* embrunie par les frottements qu'ils forçaient sur les tapis pour avoir la plus grosse. J'avais hésité trop longtemps. Trop réfléchi aussi. Je n'avais tué personne ce jour-là.

« Monsieur le juge, lorsque cette femme a illégalement déclamé l'adhan, elle nous a cependant renseignés sur les activités du boulanger, du jardinier, du professeur d'histoire et du maraîcher à une heure où ils étaient censés s'acquitter de leur prière. Pour cette raison, je vous demande d'ordonner vingt coups de fouet à leur encontre pour manquement à l'un des cinq piliers de l'Islam.

– Monsieur le juge, non, je vous en supplie, protestai-je en bondissant de mon siège.

Fouettez-moi à leur place mais épargnez-les, ils n'ont rien fait de mal. »

La condamnation fut pourtant confirmée. Les quatre hommes enlevés sans ménagement en plein après-midi. Ils furent fouettés l'un après l'autre sur la place centrale du village dans un emballement collectif prodigieux. Leandra m'en fit le récit les yeux rougis et le cœur à l'envers. Prostrée dans ma cellule, inconsolable, folle d'une rage irrépressible, je me mis à délirer à haute voix sans qu'elle puisse m'interrompre. À plusieurs reprises, elle tenta des « De qui parlez-vous ? », « Mais qui a tué votre mari ? », « Une mitraillette à l'entrée de la mosquée ? », « Que regrettez-vous ? », « Calmez-vous, Bilqiss, vous n'y êtes pour rien... ». Je ne me calmai pas. Elle dut s'en aller lorsque l'un des gardes annonça l'arrivée du juge, sur lequel je me jetai de toutes mes forces pour le tuer à mains nues. Partout où j'avais prise, je mordais, griffais ou cognais. Bien qu'il fût robuste, il ne parvint pas à maîtriser ma hargne sans l'aide du vilain – qui libéra toutefois une main pour y cacher un billet. À peine relâchaient-ils leur emprise que mon corps se remettait à s'agiter pour les frapper encore. Je regrettais âprement ce jour où j'aurais pu en abattre quelques-uns. Je le regrettais et je le leur dis. Comme une bourrasque, je leur racontai tout.

« Cela restera le plus grand regret de toute ma vie. Mon salut se trouvait à la pointe de cette mitraillette mais je n'ai pas osé m'en saisir. Je vous aurais tous tués d'une balle dans le cul pour vous punir de ne penser que par lui. »

Le juge commanda au garde de se retirer, ce qu'il fit sur-le-champ.

« J'en ai au moins buté un et c'est ma plus grande réussite. Jamais vous ne vous êtes demandé comment le nez de mon mari avait pu frire en tombant d'une échelle ? Vous êtes affligeants de bêtise mais vous avez le pouvoir. Vous êtes de pauvres cons avec les clés du temple. Je vous hais de toute mon âme, de tous mes os et de tout mon cœur. J'aurais dû tous vous tuer.

– Pourquoi me dites-vous cela, Bilqiss ? Pourquoi m'accabler ainsi ?

– Dans ce pays maudit, soit on est proie, soit charognard. Vous avez choisi votre camp. Quatre braves hommes innocents ont été fouettés parce qu'ils travaillaient au lieu de prier. Entendez-vous cette folie ? Croyez-vous qu'Allah soit dupe de votre front cabossé, mutilé et marqué par des années de prières compulsives ? Pensez-vous que votre front fera le poids face à mes genoux abîmés ou aux mains burinées de ceux que vous avez condamnés ? J'ai passé ma triste vie à nettoyer des sols pour que vous puissiez vous y prosterner sans vous salir, mes rotules en portent les stigmates, regardez-les et ne jouez pas les pudibonds, vous en rêvez depuis le premier jour. Le boulanger, le maraîcher et le jardinier vous ont nourri, le professeur d'histoire, instruit, et vous, comment les avez-vous remerciés en retour ? Vous avez cédé à un renard rasé de frais à la voix aigrefine, aussi avocat que je suis astronaute. Vos doctrines délétères ont fini par corroder vos âmes, vous persévérez dans le mal parce que vous vous savez condamnés. Le monde avance sans vous, alors vous lui crachez dessus, il progresse sans vous, se moque de vous, exploite votre dégénérescence pour blanchir sa noirceur. Vous auriez pu vous interposer, atténuer cela, mais vous avez cédé par lâcheté.

– Non, s'emporta-t-il, c'est par amour que j'ai cédé, par amour, vous m'avez bien entendu, Bilqiss. Je ne peux me résoudre à vous laisser partir. Tout ce qui me permettra de vous garder à mes côtés, j'y consentirai. Je me fiche des dommages collatéraux, des injustices, des fouettés et des morts, c'est vous, Bilqiss, que je veux prolonger. Je vous aime mais je ne suis pas encore digne de vous, votre force m'effraie, votre courage m'impressionne, votre humanité m'émeut, vos incivilités m'enchantent, vous m'avez ressuscité et si vous partez, je mourrai de ne plus vous voir, vous sentir, vous craindre et vous aimer. Je n'aurai pas assez de mille et une nuits pour m'abreuver de vos paroles, c'est en éternité que je compte à présent. Je vous demande de me secourir, Bilqiss. »

Le juge se prenait à croire à une fin heureuse comme dans le célèbre recueil de contes. On pouvait lire sur son visage béat le trouble de l'homme qui s'est mis à nu. Il regarda discrètement autour de lui, comme pour vérifier que le sol ne s'était pas dérobé sous ses pieds, ni les murs écroulés. Le juge était le genre d'homme à croire que Dieu punissait instantanément les pécheurs. Que tout soit intact dans la cellule le fit presque sourire, mais il changea d'expression quand il croisa mon regard, n'y trouvant vraisemblablement pas ce qu'il espérait. Sévère et rigoriste sur son perchoir, il s'était transformé en une pauvre chose suppliante joignant ses mains sous son burnous comme s'il priait. Mille interrogations se bousculaient dans ma tête mais je ne parvins à en formuler aucune. La stupéfaction, mêlée à la colère que m'inspirait ce spectacle, me paralysa quelques instants. Cependant, je dus me dominer pour dissiper l'espoir qui commençait à poindre sur son visage. J'aurais pu le laisser y croire et rire de lui quand il aurait été à terre, le piétiner et le moquer, prétendre que nous nous échapperions à minuit, que nous ferions l'amour à l'aube et recommencerions au crépuscule, j'aurais pu l'humilier et lui dire dans la frénésie du moment « Partons, mon amour, et nous verrons bien demain », j'aurais pu mais je ne le fis pas. Je l'interrompis sans délai dans ses projets chimériques.

« Et s'il y avait pire que la mort dans la vie, monsieur le juge ? Si rester était plus douloureux que partir ? Si m'enfuir avec vous était la pire perspective qui soit ? Si vous aimer était la chose la plus dégradante que l'on m'ait demandé de faire ? Si déjà l'audace de l'avoir fait était en soi une insulte à mon endroit ? Si vous secourir était la dernière action que je veuille faire sur cette terre, préférant de loin lapider un nourrisson et éventrer ma propre mère ? Si vous aimer était tout simplement invivable ? Tout cela, monsieur le juge… l'avez-vous envisagé ? »

« Vous croyez en Dieu, Leandra ?

– Autant que je crois aux crèmes rajeunissantes.

– Ça doit être très drôle dans votre pays, mais ça ne répond pas à ma question.

– Non, je ne crois pas en Dieu. Et vous ?

– Je n'aime pas parler de cela.

– Mais moi je vous ai répondu.

– Personne ne vous a forcée. Et de toute façon, vous adorez vous livrer. Chez vous, on ne fait que parler de soi. Ou parler des autres pour mieux parler de soi. Vous vous épanchez, vous racontez vos déboires, vos joies, vos amours, vos traumatismes, entre amies, sur internet, chez un analyste, dans les magazines, à la télévision, vous êtes des pipelettes narcissiques. Me répondre et placer votre bon mot a dû vous enchanter.

– Bilqiss, si vous n'alliez pas vous faire injustement et cruellement lapider, si cela ne me révulsait pas à un point que je ne peux décrire ni n'était la chose la plus abjecte et la plus inconcevable qui soit, si cela ne représentait pas l'indignité humaine par excellence, si tout cela n'était pas réel et que vous n'alliez pas mourir, je vous dirais d'aller vous faire foutre. Mais je suis coincée parce que tout cela risque d'arriver et que je ne peux rien y faire, je suis engluée dans mon bonheur que je trimballe et vous balance au visage malgré moi chaque fois que l'on se voit, affaiblie, fragilisée aussi par la chance que j'ai d'être moi plutôt que vous, presque désolée de ne pas plus souffrir et, pour cela, je suis obligée de vous laisser me malmener et, donc, de ne pas vous dire d'aller vous faire foutre.

– Ah, vous les aimez, les femmes musulmanes opprimées, hein, vous raffolez de cette espèce. Et plus la persécution est barbare, plus grande est l'affection. Vous bondissez pour nous défendre, élevez la voix pour nous soutenir, tout cela sobrement, avec des mines appropriées, pas trop maquillées, à peine coiffées, comme sur la photo que vous étiez si fière de me montrer la dernière fois, entourée de vos copines très concernées le temps d'un cliché, muettes parce qu'il n'y a tellement rien à dire face à l'horreur, à l'injustice et à la barbarie. Qui était la chanceuse cette fois ? Sakineh ? Meriam ? Malala ? Les Nigérianes ? Et vos voisines, vous vous indignez pour elles ? Vous organisez des processions pour ces millions d'anonymes blanches qui meurent sous les coups d'un homme ou vous préférez qu'elles restent une masse informe murée dans des statistiques à virgules ? Je vais mourir, exactement comme elles, mais de manière spectaculaire car nous sommes d'une nature expansive et théâtrale, nous aimons le show mais nous n'avons pas eu l'intelligence d'en faire un business, c'est tout. Votre unanimisme émotionnel est ce que le micro-ondes est à la gastronomie : facile et nuisible.

– Allez vous faire foutre.

– Vous savez bien que c'est interdit ici.

– Regardez-vous, Bilqiss, si arrogante, si supérieure. Mais de quoi êtes-vous tellement fière, au juste ? Pouvez-vous me dire en me regardant droit dans les yeux que vous n'auriez pas aimé avoir mes mains ? Regardez-les bien, mes mains. Je n'ai pas de cuticules, l'ovale de mes ongles est parfait, ils ne se dédoublent pas, ma peau est douce parce qu'elle n'a jamais fait la vaisselle, c'est vrai, et vous me le reprochez comme s'il y avait une quelconque gloire à tirer d'avoir des mains de bonniche. Vous vous regardez par le petit trou de la serrure, comme tout votre peuple d'ailleurs. Vous êtes la risée du monde entier. On ne vous prend pas au sérieux, on ne vous considère pas. Vous êtes des marginaux dont personne ne se soucie, bloqués au XIIIe siècle pour les plus éclairés et vantant à qui veut l'entendre, pas grand monde, je vous le précise, combien les musulmans étaient brillants avant. Avant. Mais aujourd'hui qu'en est-il ? Votre brillant héritage commence à dater et vous faites beaucoup de bruit pour pas grand-chose. Des gens dépouillés, frustrés, colonisés, tristes et impuissants. Une lumière de temps en temps échappe au troupeau mais s'éteint aussitôt parce qu'elle s'excuse d'être qui elle est en voulant gommer ses origines et en se fondant dans le paysage. Vous avez honte d'être devenus ces gens-là, ceux que l'on soupçonne d'abord, ceux qui anglicisent leurs noms, ceux qui se disent citoyens du monde pour ne pas se dire musulmans, ceux qui se défendent d'être pratiquants malgré une folle envie de l'être un petit peu, ceux qui ne mangent pas de porc mais précisent aussitôt qu'ils boivent de l'alcool, vous êtes devenus ces gens, mes amis musulmans de New York sont ces gens-là, alors, quand je vous vois me toiser ainsi, j'éprouve de la pitié, Bilqiss. Vous pouvez continuer à railler mes bonnes intentions, mais elles valent largement vos mauvais choix.

– Connaissez-vous le syndrome de Münchhausen ?

– Non.

– C'est une pathologie où l'on simule une maladie pour attirer l'attention ou la sympathie sur soi.

– Et ?

– Connaissez-vous le syndrome de Münchhausen par procuration ?

– Non plus.

– Eh bien il s'agit de la même pathologie, sauf qu'elle est dirigée vers quelqu'un d'autre. Un adulte, le plus souvent un père ou une mère, fait subir de manière délibérée à leur enfant des sévices pour ensuite le conduire auprès d'un médecin, sans se dénoncer bien entendu, et gagner la sympathie du corps hospitalier qui voit en lui un parent dévoué et aimant.

– Et ?

– C'est le syndrome dont est atteint votre pays. Vous torpillez le nôtre et ensuite vous venez panser nos plaies. Allez vous faire foutre, Leandra.

– C'est promis, je le ferai dans quelques jours. En plus, mon pays le permet.

– Il le recommande, même.

– Oui, c'est vrai, nous nous envoyons en l'air quand bon nous semble et en ce moment, au printemps, c'est une véritable orgie. Les amoureux envahissent les parcs, les amants rallongent les heures et des inconnus flirtent aux terrasses des cafés avant de rentrer chez eux et de baiser. On fait l'amour juste comme ça dans mon pays. Cela vous perturbe ?

– La dernière fois que j'ai fait une chose "juste comme ça", cela m'a valu la peine de mort. Nous ne parlons pas la même langue, Leandra.

– Est-ce que ça nous interdit de communiquer ? » finit-elle par me dire, incapable d'être méchante trop longtemps.

Cela ne nous interdisait pas de communiquer, elle n'avait pas tort. Mais, chaque chose que Leandra possédait, je le voulais. J'enviais sa naïveté et sa frivolité ; sa complaisance, je m'y serais habituée. J'aurais voulu être elle pour avoir une chance d'être celle que j'aurais dû être si j'étais née ailleurs. Celle que j'aurais pu être si l'on ne m'avait privée dès le plus jeune âge de la plus infime liberté. J'aurais voulu être celle qui éprouvait de la pitié plutôt que celle qui en inspirait. Leandra n'y pouvait rien et c'était son plus grand tort. Je baissai ma garde et décidai de lui offrir mon hospitalité contre un peu de proximité car, à quelques jours de ma mort, j'en ressentais le besoin. Je lui demandai de me raconter sa vie, là-bas à New York, à la manière d'un roman à l'eau de rose, sans rien concéder à la réalité. Elle me parla de son enfance dans une Amérique blanche et raffinée, qui s'habille différemment la semaine du week-end, qui privilégie le jardin à la cuisine, habite un manoir plutôt qu'une maison, et qui fête shabbat comme Thanksgiving. Leandra me raconta tout, nomma tout, les rues et les restaurants, elle avait la passion des détails et ça me transportait dans un monde fabuleux où l'on cycle, jogge et se challenge sur les parcours de golf. Où l'on se retrouve dans les mêmes restaurants pour ne pas se croiser. Où la quête de l'authenticité vire à l'obsession en vacances et les plaisirs simples à la religion. Et j'aurais voulu être celle qui fuit les grosses chaleurs new-yorkaises pour se réfugier au bord des plages sauvages ourlées de dunes de Long Island. Je la préférais ainsi à vrai dire, riche, snob et privilégiée. Je l'aimais sophistiquée comme le juge m'aimait fougueuse. L'aura qui émanait d'elle lorsqu'elle se mettait à dépeindre son univers valait certainement la mienne lorsque, sous une pluie d'outrages, je quittais arrogamment ma salle d'audience. Mon malheur avait-il plus de légitimité que son bonheur ? Leandra avait pensé en arrivant ici qu'il fallait se diminuer pour être acceptée. Pourtant elle ne m'avait jamais autant réjouie qu'aujourd'hui. Je savais à présent qu'il lui était impossible de s'indigner, tout au plus pouvait-elle être scandalisée par ce qui m'arrivait.

Cela faisait deux jours que je ne m'étais pas rendu au tribunal. Je m'étais fait porter malade et Seniz avait l'interdiction formelle de sortir de la maison. Elle aurait pu renseigner quelqu'un par mégarde et personne ne devait savoir où j'étais. Avant de quitter le village, je m'étais assuré auprès des gardes qu'ils prendraient soin de Bilqiss et leur avais demandé de lui accorder toutes les visites qu'elle désirait. Pendant tout le trajet et jusqu'à ce matin, ses derniers mots avaient résonné si puissamment dans ma tête qu'il m'était impossible de dormir. « Et s'il y avait pire que la mort dans la vie, monsieur le juge ? Si rester était plus douloureux que partir ? Si m'enfuir avec vous était la pire perspective qui soit ? Si vous aimer était la chose la plus dégradante que l'on m'ait demandé de faire ? Si déjà l'audace de l'avoir fait était en soi une insulte à mon endroit ? Si vous secourir était la dernière action que je veuille faire sur cette terre, préférant de loin lapider un nourrisson et éventrer ma propre mère ? Si vous aimer était tout simplement invivable ? Tout cela... monsieur le juge, l'avez-vous envisagé ? » Alors je triais et triais encore. Je triais tellement que j'avais à présent amassé de quoi pulvériser le cerveau d'un cachalot.

Ce jour-là, Bilqiss me broya sur place. Non seulement elle rejeta mon amour, mais elle le transforma en une chose ridicule, infâme et frelatée. Au fur et à mesure que mon âme se délitait, devant elle je me statufiai, aveuglé par mon amour ou par sa haine. D'un souffle, elle détruisit ma force intérieure, brisa les ressorts sur lesquels d'ordinaire je rebondissais, et bannit l'homme que je m'apprêtais à être. Elle m'effaça d'un avenir dans lequel j'avais eu l'immodestie de prétendre me glisser. Elle me gomma comme une rature là où j'avais espéré laisser une empreinte. Je m'étais fourvoyé, pensant à tort que nous écrivions notre futur commun à l'encre de Chine, alors qu'elle l'avait seulement gribouillé au crayon à papier. Je lui avouai mon manque d'elle et elle en fit sa force, et, avec mes chaînes, elle se para d'un collier. Éblouissante, les prunelles scintillantes, elle planta son regard dans le mien et fit saigner mon cœur que, pour la première fois, j'ouvrais. Fauché en plein élan, je me retrouvai à terre, trahi par celle que j'aimais et puni par Celui que j'adorais. Deux piliers de ma vie s'écroulèrent simultanément. À présent, pour rester vivant, il fallait que je m'en libère.

Il me fallut une nuit pour rejoindre le village voisin. J'entrepris d'y aller à pied plutôt qu'en voiture, ça me semblait moins formel. J'eus même l'impression d'être en pèlerinage, et, au fond, c'était de cela qu'il s'agissait, d'un pèlerinage. Je n'éprouvais aucune fatigue en arrivant, si bien que je me mis aussitôt à l'œuvre dans une carrière encore déserte. Je commençai par inspecter les lieux, longeai la fosse, déambulai entre les tas de sable, de cailloux et de minéraux, puis examinai des pierres plus volumineuses, évaluant leur poids et leur tenue dans ma main. Je les soupesai, les jetai contre un muret, certaines sonnaient creux, d'autres, plus massives, résonnaient fort au contraire. Celles-ci, je les mis immédiatement de côté. Il y en avait des bosselées et des polies, des rugueuses et des douces, il y en avait de toutes sortes et bien assez pour venir à bout d'une tête en fer. Je les sélectionnai d'abord par couleur, car je les voulais blanches pour qu'elle les tachette de son sang. Je les classai ensuite par taille – des plus petites, juste pour faire mal, aux plus grosses, pour achever. Lorsque, sans m'en rendre compte, une larme humecta mes lèvres pincées, je me mis mécaniquement à réciter le flot d'injures que Bilqiss m'avait adressé la veille et qui constituait, m'avait-elle précisé, une réponse absolument définitive. « Pire perspective qui soit, la chose la plus dégradante, la plus invivable », telles furent mes armes pour ne pas m'effondrer de chagrin et la haïr comme je n'aurais jamais cru en être capable. Ces mots résonnaient comme autant d'aiguilles qui dardaient mon cœur, m'exhortant à tirer plus vite et mieux. Déjà, un petit tas de cailloux « juste pour faire mal » s'amoncelait à mes pieds. J'entrepris donc de réunir ceux, plus gros et moins lisses, qui la blesseraient d'abord aux angles, de l'arcade sourcilière au menton, puis enflammeraient ses pommettes et ses lèvres charnues. Mais, chaque fois, une image fulgurante venait freiner ma hargne. Un souvenir, un son, un geste, une Bilqiss rayonnant d'audace, refusant la défense d'un avocat ou moquant le rapprochement douteux du procureur entre une aubergine et son phallus, cette Bilqiss-là se fichait bien de mes colères puisque, et nous le savions tous deux, elle me hanterait par-delà la mort. Elle m'avait enthousiasmé, fait rire et tourmenté, pourtant aujourd'hui je triais les pierres qui allaient la tuer. Je les choisissais méticuleusement car, en chacune d'elles, je mettais de moi. Ébloui par sa force ou aveuglé par ma colère, il ne s'agissait plus de savoir pourquoi mon esprit était brouillé, mais comment l'apaiser. Je me fis à l'idée qu'elle serait à jamais un petit caillou dans ma chaussure mais, à choisir, je préférais boiter toute ma vie que mourir terrassé par la douleur. Si on pouvait mourir d'amour, on pouvait aussi tuer par amour.

« Comment le savez-vous ?

– Il a parlé de vous.

– Mais c'est impossible.

– Pourtant il l'a fait. Toutes les nuits depuis le début de votre procès. Dans ses rêves et dans ses cauchemars, c'est vous qu'il appelle.

– Je suis désolée.

– Ne le soyez pas, Bilqiss, vous et moi n'y sommes pour rien », me dit Seniz, enveloppant mes mains dans les siennes.

Quand Seniz était apparue derrière les grilles de ma cellule, elle était restée un long moment à me dévisager. Je l'avais laissée faire parce que je n'aimais pas parler la première. C'était aussi ma manière de lui signifier que le silence, même partagé avec une inconnue, était pour moi une bénédiction. Elle m'avait dit son nom et aussitôt j'avais compris pourquoi le juge l'avait épousée mais m'aimait moi. Seniz était agréable à regarder. Mais sa beauté, trop accessible, trop ostensible et presque trop discriminante pour les plus laides, ne générait aucun débat puisqu'elle mettait tout le monde d'accord. C'était le genre de beauté qui se solderait avec l'âge là où une autre prendrait de la valeur. C'était la femme qu'on voulait voir en vitrine, alors que j'étais celle qu'on voulait cacher. Une beauté qui rassurait les sots, quand la mienne troublait l'âme. Telle avait été la réponse du juge lorsque je lui avais rappelé, un jour où il commençait à s'épancher, qu'il était marié avec l'une des plus jolies filles du village. J'avais pris cela pour une flatterie de plus à l'époque mais, en la voyant à présent, j'avais plus d'indulgence pour lui. « La beauté de Seniz est compréhensible, elle s'explique par des traits parfaits, alors que la vôtre reste un mystère et elle dit merde à qui n'a pas les bons yeux », m'avait-il avoué un soir où il s'était confié sur sa vie sans Nafisa.

Seniz s'assit sur le bord de ma paillasse et m'annonça que j'allais mourir bientôt. « Demain ou après-demain », me dit-elle. Elle me raconta que son mari avait, la veille, précipitamment quitté leur maison alors qu'il venait juste de rentrer du bureau – ou d'ailleurs, laissa-t-elle échapper. Lorsqu'elle lui demanda où il allait, il la saisit par le bras et lui ordonna de ne sortir sous aucun prétexte. Il n'avait jamais été aussi terrifiant, et même là, en me le répétant, je perçus l'effroi qu'elle avait éprouvé. « Je vais à la carrière moi-même pour choisir chaque pierre qui anéantira cette impie. » Tels furent ses mots. Il n'en dit pas un de plus et s'en alla à pied dans une nuit sans lune et sans étoiles, éclairé par sa seule conviction. Seniz, bien qu'analphabète, fut troublée par le verbe qu'il employa. Anéantir plutôt que tuer, l'offense devait être insoutenable. À cela s'ajoutaient ses rêves sonores, si bien qu'elle décida de braver l'interdiction de son mari et de venir à ma rencontre.

« Implorez le pardon, Bilqiss, et il vous l'accordera. Mon mari est un homme plein de mansuétude. Lorsque sa colère se sera estompée, il reprendra ses esprits et ne les laissera pas faire. L'homme que j'ai entendu chaque nuit vous aimer un peu plus ne peut vouloir votre mort. C'est inconcevable.

– Un homme rejeté et humilié peut surprendre par la vitesse avec laquelle il passe d'un sentiment à son opposé. Parfois, il s'agit seulement de survie. L'échec est si cuisant et la douleur si vive qu'il faut l'anéantir…

– Vous n'allez donc rien faire pour vivre ? »

J'allais au contraire tout faire pour mourir. Seniz ne pouvait le comprendre et je me gardai bien de lui dire pourquoi. Elle avait été programmée pour être celle qu'elle était et, tout ce qui comptait, c'était d'avoir un train de vie confortable, de beaux enfants et une bonne réputation. De mon enfance chaotique, je ne me souvenais que d'une envie : être quelqu'un. Je croyais démesurément en moi. Jamais cette voix intérieure ne s'était atténuée. Cette voix que j'entendais éveillée et voyais endormie. Une lueur qui éclairait la noirceur de mon âme, quand, violée par un cowboy ou battue par mon mari, je me réinventais aussitôt. La certitude d'y arriver et celle de ne jamais renoncer étaient si fortement ancrées en moi qu'il m'était plus douloureux d'échouer que de perdre la vie. Je détestais davantage la défaite que je n'aimais la victoire, alors le lendemain ou le jour suivant, quand des mains barbares et impatientes jetteraient sur mon visage les pierres de la mort, je l'avoue, j'éprouverais un soulagement. Celui d'en finir avec l'espoir, ce sentiment vain dans lequel je m'étais réfugiée sans m'en apercevoir au fil des années.

On se mit à papoter, elle et moi. J'appris par exemple que le juge regardait des télécrochets polonais et italiens à la télévision, ayant même téléchargé sur son téléphone portable une application de karaoké. Il chantonnait à mi-voix les refrains de Nancy Ajram et d'Amr Diab tandis que Seniz les fredonnait de la cuisine. Un très léger rictus de ma part, presque involontaire, la freina dans son récit. Elle me demanda pourquoi je souriais. En fait, c'était un réflexe chez moi quand une femme précisait qu'elle était dans la cuisine.

« Comme si on pouvait être ailleurs, ajoutai-je, pensant à tort qu'elle sourirait aussi.

– Vous avez les réactions des femmes modernes, me dit-elle, celles qui sourient légèrement quand on leur parle de cuisine. Pourtant, la mienne a une longueur d'avance sur vous, elle n'est pas simplement moderne, elle est intemporelle. Je vous fais sourire parce que je broie moi-même mes épices sur une pierre d'asphalte, parce que je fabrique mon beurre, mouds mon café, enfouis dans le trou des plantations de mes pommes de terre de la consoude pour en doper les tubercules, coupe les feuilles de coriandre et parfume mes plats de ses graines, est-ce tout cela qui vous fait sourire, Bilqiss ? Eh bien moi je sourirai quand un marchand vous vendra du curcuma pour du safran du Kerala. Ma cuisine est un piano parfaitement accordé, j'y concocte mes plats sur une mélodie que j'ai moi-même composée, mes gestes assidûment répétés se lisent comme une partition, les placards claquent, la cocotte-minute siffle et les casseroles tintent. Dans le creux de ma main, je soupèse les épices et, avec mes doigts, j'en tamise les sauces qui mijotent à feu doux parce que j'ai tout le temps devant moi… Je n'aime pas la précision, on ne m'a rien appris, tout transmis, je raconte chaque fois une histoire différente à mon mari. Quand il goûte à un nouveau plat, il ferme les yeux pour que rien ne vienne le distraire. Bien manger, satisfaire tous les sens et faire son devoir, c'est ma ligne de conduite morale. La cuisine rapproche les gens, elle est une facette de notre identité, elle participe à la vie de la nation, elle ne sera jamais détruite car les hommes voudront toujours bien manger. Soupe à l'agneau et au citron noir, pain sucré à la cannelle de Ceylan, ragoût de veau et d'amandes en lamelles, riz aux mandarines confites, agneau aux racines de lotus ou curry de poisson à l'indienne avec une touche de tamarin sont mes armes. Elles vous font sourire mais quand des fous, comme ceux qui sont venus toquer à la porte de votre école, se présenteront à celle de ma cuisine, ces plats-là seront ma fortune parce qu'il ne s'en fait pas de meilleurs. Si vous avez échoué avec votre tête, ne sous-estimez pas mes mains et, par pitié, ne me réduisez pas à celle qui fait sourire. »

Seniz avait raison. Je lui présentai mes excuses qu'elle s'amusa à accepter. J'étais devenue sa Leandra et cette simple idée m'horrifia. Pour apaiser l'atmosphère, elle sortit de son sac un naan sucré au miel et au sésame et m'en offrit un morceau. Une fois qu'elle eut retiré ses gants noirs, je découvris ses mains barrées de fines ridules dans lesquelles étaient incrustées des poussières d'épices, le contour de ses ongles jaunis par le safran et les minuscules traces de coupures qui striaient ses doigts. Elle avait le geste sûr de celles qui coupent parfaitement et équitablement le pain en deux, rassurant un homme et comblant les enfants. Je me rendis compte que *Les Mille et Une Nuits* en avaient inspiré plus d'une. Les ruses de Shéhérazade se déclinaient à l'infini. L'on pouvait se targuer d'être dotées d'une grande habileté à gérer nos hommes, nous n'en restions pas moins tributaires. Nafisa disait que les femmes sur la terre étaient semblables aux pieuvres de l'océan : supérieurement intelligentes, elles se faisaient pourtant dévorer par des bébés phoques.

Seniz affichait un très léger air de contentement. Elle m'avait rabrouée et, pour une femme dont l'activité principale était de faire à manger, c'était déjà une victoire. J'entendais sa tirade sur la cuisine et ses bienfaits, mais le claquement de ses placards, les sifflements de sa cocotte-minute et les tintements de ses casseroles couvraient aussi le son atroce des coups, des tirs et des hurlements. Je me souvins alors de la citation d'un saint homme que Dick avait enregistrée sur le fond d'écran de son ordinateur et qui m'avait marquée : « Quand j'aidais les pauvres, on me traitait de saint, quand j'ai demandé pourquoi ils l'étaient, on m'a traité de communiste. »

« Seniz, que ferez-vous si un jour on vous réclame des comptes ? Direz-vous que vous n'avez rien entendu, rien vu ni rien soupçonné ?

– Je ferai encore et toujours la même chose, Bilqiss, je préparerai mon meilleur caviar d'aubergine, des feuilles de vigne farcies au boulgour, un *korma* d'agneau à la cardamome et une crème de riz à la fleur d'oranger pour accueillir ceux qui me réclameront des comptes. Et si ça ne suffit pas, j'objecterai mon ignorance.

– N'avez-vous jamais voulu apprendre à lire ou à écrire ?

– Jamais.

– Comment est-ce possible ? m'emportai-je.

– Du point de vue du ver de terre, une assiette de spaghettis est une orgie. »

D'habitude, c'était moi qui balayais une conversation ennuyeuse d'un mot d'esprit. Seniz me narguait en feignant de s'apitoyer sur mon sort. Après tout, j'étais celle qui occupait l'esprit de son mari, quand elle devait se contenter de sa chair. Elle n'était donc pas venue en véritable amie. Assises l'une à côté de l'autre sur ma paillasse, « nous ressemblons à Siddhi et Buddhi », dis-je, laissant en suspens cette remarque qui, bien entendu, appelait une explication. Mais je m'arrêtai là, poussant ainsi celle qui venait de me traiter de ver de terre à souligner son ignorance crasse par un médiocre « C'est qui ? ». Je lui racontai alors le mythe de Ganesh, précisant qu'il s'agissait de l'homme à la tête d'éléphant qui illustrait son livre de recettes indiennes. Je la vis s'interroger mais elle garda pour elle une question qui lui brûlait les lèvres. Comment pouvais-je savoir cela ? Je ne la renseignai pas et continuai mon récit.

« Et finalement, Ganesh épousa deux sœurs jumelles, Siddhi et Buddhi, lors d'une fastueuse cérémonie. Siddhi symbolisait l'accomplissement et Buddhi, l'intelligence.

– Et laquelle êtes-vous ? me demanda-t-elle avec attitude.

– Celle dont vous ne voudrez pas me suffira », répondis-je avec encore plus d'attitude.

V

« Et qu'avez-vous dit ? me demanda Bilqiss.

– J'ai dit que j'étais américaine, j'ai décliné mon identité et, probablement rassuré par mon accent, il a baissé son arme.

– Faites attention avec Dick, il est gentil mais c'est un mythomane. Et parfois, il a des bouffées délirantes, peut-être même qu'il est schizophrène. L'armée fait semblant de ne pas le savoir, elle le bourre de médicaments, mais il va mal. En même temps, je serais lui, j'irais mal aussi...

– Je vous remercie mais c'est un peu tard, j'ai eu la chance de m'en rendre compte par moi-même et je ne compte pas le revoir de sitôt.

– Vous a-t-il molestée ? s'inquiéta-t-elle.

– Non. Mais il m'a fait très peur. Ce qu'on raconte sur l'état mental de nos soldats est donc vrai.

– Des bombes à retardement, rigola-t-elle. Comme nous.

– La première fois que vous l'avez rencontré, lui avez-vous vraiment parlé de... ? demandai-je, lui montrant ce à quoi je faisais référence.

– Ah oui, ça c'est vrai, en revanche ».

La veille, en effet, je fis la connaissance de Dick Stone. Renseignée par Zuleikha, j'étais allée me promener dans les environs de la maison de Bilqiss. Le portail étant entravé par les verrous de la police des mœurs, j'escaladai le muret du jardin pour me faufiler à l'intérieur de cette maison en terre qui n'en finissait pas de fondre l'hiver et d'être retapée l'été. À califourchon, je fus d'abord frappée par la couleur de la vieille bâtisse, mélange de crépi brillant et de terre ambrée. Un jardin de roses délimité par des galets côtoyait des arbrisseaux et des touffes de giroflées ainsi que des massifs de fleurs de pavot rouges avec de gros pétales satinés et froissés. Dans un recoin, on devinait ces drôles de tapis qui se vendaient au marché, mêlant dessins militaires et motifs floraux. Un plateau, une théière et un verre avaient été oubliés dessus ainsi que des travaux d'aiguille et un livre ouvert. De l'autre côté, un auvent protégeait contre les boues printanières et les pluies diluviennes de l'automne, mais il détonnait avec le reste de l'architecture. Bilqiss y avait installé un fauteuil à bascule en rotin. On se serait cru dans une banlieue pauvre de l'Alabama. Je reconnus bien là celle qui s'inspirait de tout et surtout d'ailleurs mais, au moment où je m'apprêtais à passer une jambe de l'autre côté, la voix d'un homme retentit et manqua de me faire tomber. J'eus à peine le temps de retrouver mon équilibre qu'il me somma de lever les mains en l'air, ce que je fis bien entendu, laissant tomber par mégarde mon appareil photo. Un soldat pointait son arme sur moi. Quand j'aperçus un point rouge se promener sur le haut de mon corps, je clamai avec force :

« Je suis américaine ! »

Doucement, je descendis de mon perchoir. Au sol et dans le désordre, je déclinai mon identité, la raison pour laquelle j'étais ici, le nom des gens qui m'hébergeaient et mon amour pour ma patrie. Mais ce qui le rassura d'abord, me dit-il ensuite avec amusement, ce fut la coque de mon téléphone portable, surmontée d'oreilles de lapin et sertie de strass. Il baissa son arme en même temps que je baissai les bras, m'autorisant à récupérer mon appareil photo, puis s'avança vers moi. Dick, puisqu'il s'agissait de lui, s'enquit aussitôt de Bilqiss, rassuré d'apprendre qu'elle n'était pas morte. Mais la moue réticente que j'affichai freina sa joie et il s'exclama :

« Mais comment ont-ils appris qu'elle l'avait tué ? On avait fait un travail remarquable. À part son nez qui avait frit et qu'on avait défoncé ensuite, personne n'aurait pu déceler qu'elle l'avait buté à coups de poêle.

– Mais de quoi parlez-vous ?

– C'est bien pour cela qu'elle est en prison, n'est-ce pas ? »

Nous étions dans le même camp, lui et moi. Je le rassurai sur ce point. Il se résigna à m'en dire plus. J'appris que Bilqiss n'était pas pour rien dans la disparition de son mari et que Dick et son acolyte avaient maquillé le meurtre en accident. Celle que je croyais mieux cerner ces derniers temps me déroutait une fois de plus. Pleine de ressources, elle était donc aussi capable de tuer. Sur le moment, cela me troubla sans savoir si c'était d'admiration ou d'effroi. En tout cas, elle me fascinait.

Face à face, Dick déguisé en méchant et moi en musulmane, au beau milieu de paysages ourlés de cimes et d'un lointain minaret bleu de Prusse, on se serait cru hors du temps. Aux États-Unis, nous aurions eu peu de chances de nous croiser, lui et moi, mais, ici, des liens insoupçonnés se tissaient sur-le-champ. Il fractura le portail d'un puissant coup de pied et m'invita à entrer chez Bilqiss, « notre amie », précisa-t-il. Nous traversâmes un patio ceinturé de hauts murs et pénétrâmes dans son salon, sa chambre puis sa cuisine. Je découvris petit à petit des objets que je pouvais relier à elle, des livres, des images, des bougies dont elle créait elle-même les senteurs, des broderies chatoyantes, un coran annoté et des figurines d'animaux. Il y avait aussi dans un coin des pièces à conviction, des peluches ligotées les unes aux autres ainsi que des soutiens-gorge en dentelle suspendus à une armoire. Dick s'amusa de me voir aussi émue. « On dirait que vous vous recueillez sur une tombe. » Et c'était vrai. J'étais émue. Émue aux larmes. Je m'écartai de peur qu'il n'y voie comme elle qu'un accès de sensiblerie supplémentaire. Il me prépara une infusion de verveine, dont il venait de cueillir les feuilles dans le jardin. Il la sucra avec du miel de ronce et nous installa dans le patio, par terre, là où elle avait ses habitudes.

La première fois que Dick aperçut Bilqiss, ce fut de dos. Ses fesses rebondies réjouirent la meute de soldats qui regardait un match de baseball en se bâfrant de cochonneries. Le sergent Ramirez en avait renversé son plateau. Un double cheeseburger et un sundae caramel-M&M's s'étaient répandus par terre avant que Bilqiss n'accoure pour les nettoyer. J'appris ainsi que mon pays ne lésinait pas sur les moyens pour que nos soldats se sentent comme à la maison. Leur cantine ressemblait à un gigantesque parc d'attractions avec toutes les enseignes de la restauration rapide et des écrans plats branchés sur les chaînes de sport, de téléréalité et de télévangélistes. Parce que son mari l'y avait autorisée et que c'était beaucoup mieux payé qu'ailleurs, Bilqiss faisait le ménage dans les locaux de la caserne, à quelques pas de chez elle. Elle nettoyait la cantine et les douches tous les matins, à partir de quatre heures, et les week-ends, plutôt le soir. Agenouillée, alors qu'elle nettoyait avec son chiffon la glace fondue et les pépites de chocolat, des rires gras entrecoupés de remarques marrantes (tels avaient été les mots de Dick) s'étaient échappés du fond de la salle :

« Pas vu des courbes pareilles depuis mes vacances dans le Colorado, avait-il dit pour faire rigoler les copains.

– Vous avez de la chance, pour ma part je n'ai pas vu un amas de merde aussi dégueulasse depuis ma dernière gastro-entérite », avait-elle répliqué, le regard planté dans celui de Dick.

Ce à quoi elle avait ajouté, juste avant de se retourner :

« Je parle du plateau, bien entendu. »

Muets de saisissement, Dick et ses amis s'étaient regardés comme si rien de tout cela ne venait d'arriver. Après quelques secondes inconfortables, un fou rire avait éclaté dans la première rangée et s'était propagé jusqu'à la dernière, là où Dick attendait de réagir. Bilqiss avait terminé de nettoyer le sol, ramassé son seau et était retournée dans le local du personnel. Dick était devenu, pour le reste de la journée, la risée de ses camarades et, très vite, Bilqiss, la « nana hallucinante qui parle un putain d'anglais comme toi et moi, putain de merde ». Ce fut avec un Java Chip Frappuccino entre les mains qu'il était allé frapper à la porte du local. Bilqiss l'avait aimablement reçu. Elle s'était excusée à son tour d'avoir été si agressive devant ses collègues mais, loin d'être intimidée, en avait rajouté une couche :

« Je sais que vous n'êtes pas les hommes les plus raffinés de la terre mais expliquez-moi quelque chose, pourquoi un cul de femme vous met-il dans cet état ? Je conçois que vous soyez loin de vos familles mais, en règle générale, un cul de femme rend un homme idiot. Ça vous fait glousser bêtement, pourquoi ? Qu'est-ce que ça vous évoque ? Vous gloussez dans le meilleur des cas, d'autres sont moins délicats malheureusement et, ensuite, vous reprenez votre conversation et, dès qu'un autre cul passe, vous gloussez à nouveau. Je ne me sens pas dévalorisée mais j'aimerais comprendre pourquoi, au moment où je viens faire mon travail et que je m'agenouille, vous ne pouvez pas vous empêcher de glousser comme des idiots. Si je m'agenouille face à vous, vous regarderez mes seins et si je le fais dos à vous, vous regarderez mes fesses. Et de profil, ce seront mes courbes. Voulez-vous vraiment donner raison à celles qui se voilent ou ne se rasent plus les jambes pour éviter vos gloussements ? Croyez-vous qu'on ne voie pas, nous, les femmes, que votre paquet a toujours du mal à choisir entre la gauche et la droite dans votre pantalon et que, parfois, on dirait un tuyau d'arrosage dont on ouvre le robinet sans prévenir et qui n'obéit plus ? On le voit mais on ne glousse pas bêtement pour autant. »

« Comment osait-elle vous parler comme ça ? Elle n'était qu'une femme de ménage après tout, et vous, un soldat américain. Elle n'avait pas peur ? demandai-je, sidérée par un tel échange.

– Cette fille vous fait plus peur que la guerre. La côtoyer n'est pas sans conséquence, se lier d'amitié avec elle n'a rien d'anodin. Elle happe et dérange autant qu'elle aime et rassure. Personne ne peut la domestiquer, c'est une solitaire, une sauvage avec des manières. Les lâches la fuient ou la dénigrent mais le temps parle pour elle, se venger personnellement ne lui est pas indispensable, le vide abyssal qu'elle laisse en vous quand elle se retire suffit. »

Surprise par le degré d'intimité qu'il semblait partager avec elle, je ne pus m'empêcher de lui demander s'il était amoureux d'elle. Dick sourit. Non, il ne l'était pas. Il était homosexuel et il feignait juste d'être un gros con auprès de ses camarades. Ce qu'il aimait avant tout chez Bilqiss, c'était sa foi. En elle et en Dieu. Une foi inébranlable à propos de laquelle il l'avait questionnée, ce à quoi elle avait répondu : « Est-ce qu'un chauve aurait l'idée de se plaindre chez le coiffeur ? » Bilqiss n'avait jamais rien demandé à Dieu, elle trouvait cela opportuniste et grossier. « Comme s'Il ne nous avait pas assez donné, disait-elle. Peut-on vraiment aimer Dieu pour ce qu'Il est sans espérer grappiller un peu de santé, un peu d'amour et beaucoup d'argent ? Des mendiants, voilà ce que nous sommes tous, pas des croyants. »

Alors que nous étions assis dans le patio comme deux papoteurs exilés loin de chez eux, il me raconta son Amérique, celle que je ne connaissais pas ou si peu. Celle qu'il avait racontée à Bilqiss et qui avait dû me discréditer d'emblée lorsqu'elle nous vit pour la première fois, moi et mes mains qui n'avaient jamais fait la vaisselle.

Il ne pouvait rien faire pour elle, les Américains n'intervenaient pas dans les questions religieuses.

« Donc elle a fait un truc hyper grave, un truc qui ne se fait pas chez eux, elle a chanté la prière en haut de leur tour Eiffel, et elle a dit des trucs qui ne sont pas dans le Coran, c'est ça ? »

Oui, c'était plus ou moins cela. En fait, c'était même exactement ça. Il sortit une petite flasque de whisky, qu'il mélangea avec l'infusion à la verveine. De plus en plus à l'aise, il commença à s'épancher sur sa situation personnelle. Je sentis qu'il avait besoin de parler parce que, à la caserne, on parlait beaucoup, beaucoup de cul aussi mais jamais du sien. Ceux des mecs là-bas, c'était « exit only », comme le déclarait fièrement le sergent Ramirez. Dick était soldat, son amant fermier dans l'Utah, ils s'étaient rencontrés à une réunion d'alcooliques anonymes, « et puis voilà »... Personne dans leurs familles respectives n'était au courant de leur liaison. Dick n'osait pas encore parler de relation.

« Je ne sais pas ce qu'il y a de pire, mourir à la guerre ou annoncer à des familles de militaires et de fermiers que leurs enfants couchent ensemble ? » m'avait-il dit en rigolant.

À son tour, il me demanda si j'avais un amoureux. Et ma réponse l'amusa. Enfin, c'est ce que je crus d'abord. Mais Dick s'agita, il clignait des yeux et suçait exagérément ses lèvres. Peut-être que se livrer sur son homosexualité ravivait en lui de mauvais souvenirs. Peut-être que son compagnon lui manquait. J'enchaînai vite sur le mien.

« Dans la mesure où l'homme de ma vie m'a souhaité de me faire violer par des barbares si je venais ici, non, je n'ai plus d'amoureux.

– Quel connard !

– Oui, je suis bien d'accord. Et c'est d'autant plus dur à admettre que rien ne le laissait présager. James était avocat. Il l'est toujours cela dit. On devait se marier au printemps prochain. Il était parfait. Attentionné, gentil, affectueux, généreux, il me traitait comme une princesse.

– Vous savez, j'ignore si je suis homosexuel parce que j'aime les hommes ou parce que je déteste les femmes. Vous êtes trop connes, ma parole. Une princesse ? C'est ça, votre idéal ? Qu'on vous fasse des cadeaux et qu'on s'attarde sur les préliminaires ? Il était attentionné, et en quoi ? Qu'est-ce qu'il faisait de spécial ? Il n'oubliait pas l'anniversaire de votre premier bisou et rentrait à la maison avec un bouquet de fleurs pour fêter ça ? Gentil ? Encore heureux ! Doit-on remettre une médaille aux gens gentils de nos jours ? Affectueux ? Sans blague ?

Structurellement nous avons une bite dans le cerveau, vous ne pourrez jamais rien changer à cela, on aura toujours envie de baiser, sa femme ou une autre, notre queue est l'histoire de notre vie et vous, les femmes, en êtes l'épilogue. Généreux ? Quand on est un grand avocat, qu'on vient d'une grande famille et qu'on habite dans une ville comme New York, être généreux, Leandra, c'est comme pleurer devant *Bambi*, c'est normal, bordel de Dieu ! »

Dick changea de tête et de ton en un battement de cils. Une profonde frustration semblait l'animer et résonner si fort en lui que je m'enfuis aussi vite que je pus. Il continua seul à s'insurger contre « ces putains de salopes qui veulent aller dans des restos à la mode où on leur donne un menu sans prix. Et pour moi, qui va payer hein ? Qui va payer ? Est-ce que j'aurai droit à un putain de menu sans prix, moi aussi ? »

Je ne me retournai pas et courus aussi vite et aussi loin que possible. Dick ne m'avait pas suivie. D'ailleurs, quand je m'étais enfuie, il n'avait pas essayé de me retenir. J'empruntai la route qui longeait l'enceinte du vieux cimetière et qui déboucha sur une petite place tranquille où deux enfants jouaient avec des cailloux. Je repris ma respiration et rajustai mon voile. Ça ne perturba pas leur partie. Je ne suis même pas sûre qu'ils m'adressèrent un regard. Mais, quand le village s'emplit du chant des muezzins qui se faisaient écho à l'heure de la prière, ils déguerpirent comme des lapins. Même si les ruelles étaient désertes, je n'avais plus l'impression d'être seule aux mains d'un schizophrène surarmé. L'harmonie des voix annonçant la prière vespérale me bouleversa. Au milieu de nulle part, plus étrangère à ce pays que jamais, je m'adossai contre une vieille porte en bois de santal sculpté et je regardai vers le ciel en m'abîmant dans le silence de mon âme. L'émotion fut intense pour la néophyte que j'étais. Éblouie par la vénusté des couleurs et enivrée par les effluves odorants, la magie opéra. Une sensation de plénitude à la faveur de laquelle je ne craignais plus rien. J'ignorais de quoi il s'agissait mais, ce dont j'étais certaine, c'est qu'il fallait garder ce genre d'épiphanie pour soi. Répétée à quelqu'un, elle perdait toute sa saveur. Et on se moquait de vous par-dessus le marché.

Et puis la porte s'ouvrit. Je tombai à la renverse, rattrapée de justesse par un vieillard qui sortait de chez lui. Il hurla. Moi aussi. Avant de décamper à toute allure en me fiant, pour m'orienter, aux bruits chaotiques de la rue principale qui avaient déjà repris.

Le garde m'ouvrit la porte. Il m'accompagna ensuite jusque devant elle, à genoux, les mains jointes et le regard lointain. J'attendis sur le côté pour ne pas la gêner. Elle tourna la tête à droite puis à gauche, fit rouler son tapis, le rangea avec soin et m'accueillit presque aimablement. Je m'excusai d'arriver les mains vides et lui promis des beignets pour le lendemain car « la mère de Zuleikha en préparait justement à l'écorce d'orange confite saupoudrée de sucre glace mais je suis partie avant qu'elle les fasse frire.

– Il n'y aura pas de demain, Leandra, nous nous voyons pour la dernière fois ce soir », me coupa-t-elle.

Après que l'audience avait été ajournée trois jours de suite, Bilqiss m'informa de la visite de Seniz, qui lui avait révélé des choses. Elle resta vague mais je devinai qu'elles s'étaient confiées l'une à l'autre. Le juge avait entrepris un voyage jusqu'à la carrière la plus proche parce qu'il voulait choisir lui-même les pierres qui la tueraient, m'annonça-t-elle avec une froideur marmoréenne. Des plus petites aux plus grosses et des plus blanches aux plus sombres, précisa-t-elle. J'éclatai en sanglots devant elle. Je me fichais d'être la cible d'une énième raillerie de sa part, mes jambes flanchèrent et je m'écroulai par terre dans un torrent de larmes. Le souffle coupé, je réalisai que Bilqiss allait mourir le lendemain et pour toujours. Au fond de moi, je n'avais jamais cru que cela arriverait. Sa puissance semblait capable d'évincer la mort. Ça ne pouvait pas se finir comme c'était prévu.

Elle posa ses mains sur mes épaules. Je les recouvris des miennes. Elle ne les retira pas. Je pris ce geste pour ce qu'il était: une réconciliation. Je compris seulement à ce moment pourquoi elle avait été si dure avec moi: elle avait voulu m'épargner cette lamentable scène où celle qui va mourir réconforte celle qui va vivre.

« Bilqiss, je ferais n'importe quoi pour vous, dites-moi seulement comment je peux vous aider, permettez-moi cela, dis-je entre deux sanglots.

– Si j'avais des enfants, je vous demanderais d'en prendre soin, si j'avais des parents, je vous demanderais de veiller sur eux, si j'avais des amis, je vous demanderais de les consoler.

– Il n'y a donc rien que je puisse faire pour vous ? conclus-je.

– Si, une chose.

– Laquelle ? m'empressai-je de demander.

– Jetez-moi la première pierre.

– Pardon ?

– La lapidation est un spectacle, il faut qu'elle dure, que chacun puisse y évacuer sa haine, la foule commencera donc par jeter de petits cailloux polis pour m'égratigner, puis passera à de plus gros pour me blesser et enfin à d'énormes pierres anguleuses pour m'achever. Je vous demande donc de commencer par la fin et de me tuer plus vite. »

Encore une fois, je m'étais trompée. Ce que j'avais pris pour une réconciliation n'était qu'une courte trêve. Quand j'étais devant cette femme, j'avais l'impression d'être une équilibriste sur une corde raide. Très sérieusement, Bilqiss venait de me demander de la tuer. La tuer. Voulait-elle ainsi me faire payer au prix fort l'engagement trop léger qui m'avait menée jusqu'à elle ?

J'appris aussi que, inébranlable dans sa dureté, elle avait refusé les avances du juge. Elle me rapporta avec mépris les mots qu'il avait utilisés pour la persuader de s'enfuir avec lui et de l'aimer, ne fût-ce qu'un peu. Je repris espoir et la suppliai de revenir sur sa décision. Je m'emballai et lui promis même de l'aider à s'échapper plus tard.

« Je trouverai un moyen, mon père est très riche et mon ami Yann connaît beaucoup de monde, on vous fera traverser la frontière et ensuite je m'occuperai de vous, Bilqiss, s'il vous plaît, rappelez-le et aimez-le le temps de partir d'ici...

– Me jetterez-vous la première pierre, Leandra ?
– Non, Bilqiss, vous ne pouvez pas me demander cela. Tout sauf ça.
– Alors au revoir, Leandra.
– Bilqiss, je vous en supplie, ne faites pas cela, ne me demandez pas de vous tuer la première, c'est injuste, c'est au-dessus de mes forces et bien au-delà de ce que je pourrais supporter, je vous implore, Bilqiss, de ne pas me demander cela. N'importe quoi d'autre…
– Vouloir m'aider était une noble pensée, Leandra. Pourtant ici les nobles pensées sont de belles salopes qui allument mais n'embrassent pas. »

VI

« Je fais un rêve. Mon rêve est le suivant : je suis en train de faire un cauchemar. Tout ce qui m'entoure, vous tous ici n'êtes pas réels, vous n'êtes pas cette maudite engeance, les yeux cerclés de cernes, le front barré de rides et les dents jaunies de tartre, vous n'êtes pas ces hommes et ces femmes à l'âme morte et à l'esprit aride que ceux des premiers rangs ont confisqué, vous n'êtes pas ces minables effrayés par leurs index tendus vers le ciel et que j'aimerais, toujours dans mon rêve, broyer de toutes mes forces. Vous n'êtes pas les médiocres qui avez laissé filer vos vies, vous n'êtes pas les traîtres qui avez abandonné votre Dieu, vous n'êtes pas les faibles qui avez courbé le dos et vous n'êtes pas non plus les barbares qui allez me tuer de la manière la plus abjecte qui soit. Vous n'êtes pas ceux que guident d'obscurs moralisateurs à la pensée frelatée, vous n'êtes pas ceux et celles qui obéissez à des obsédés sexuels vous caparaçonnant de lourds tissus et vous attifant d'une longue barbe ridicule, non, vous n'êtes pas ceux-là car, si vous l'étiez, vous ne mériteriez certainement pas de vivre. L'on ne se déplace pas sur terre pour la polluer, on ne prie pas Allah pour implorer Son pardon, on s'arrange auparavant pour ne jamais avoir à le faire. Mon Coran n'ordonne rien, aucune loi ne peut s'en dégager parce qu'il y a autant de lectures qu'il y a de musulmans, et ce n'est certainement pas une bande de fripons en robe blanche rasés de frais et le front souillé qui réduira mon saint Coran à un vulgaire mode d'emploi pour décérébrés. Mon prophète adoré, que la paix soit sur lui, nous dit dans un hadith qu'il nous faut lire le Coran comme s'il nous était révélé personnellement. Ils ne sont donc pas légitimes, ils n'ont aucun droit sur nous, ils se mettent en scène dans des postures effrayantes mais ils ne sont rien d'autre que des voleurs de vie. Dans mon rêve, nous n'avons pas pu laisser ces maudits imposteurs remplacer nos savants, non, nous n'avons pas pu laisser faire cela et sortir de l'histoire comme de vulgaires moucherons. Allah n'a jamais eu besoin d'une cour de flagorneurs pour asseoir Sa puissance mais bel et bien d'hommes et de femmes qui Lui rappellent pourquoi Il nous a créés. Dans mon rêve, je me réapproprie Allah et, avec moi, ceux et celles que l'on accuse de délit de foi. Je fais un rêve et tout cela n'est qu'un cauchemar. Le mien va bientôt prendre fin mais le vôtre continue et je ne vous plains plus. »

Je n'aurais pas pensé arriver jusqu'au bout. Étrangement, personne ne perturba cette dernière diatribe. Je bénéficiai même de l'oreille attentive de chacun. Finalement, un premier index s'éleva en direction du ciel, rejoint par un autre dans la mienne, engendrant une petite émulation dans les premiers rangs mais qui ne s'étendit pas jusqu'aux derniers. Les notables se retournèrent peu à peu, surpris de voir la salle se vider lentement. Un obscur législateur prognathe à la barbe luxuriante demanda au juge d'ordonner que l'on m'emmène sans délai sur la place publique, craignant des déserteurs et un spectacle moins ardent. Le juge s'exécuta. Je me levai, les suivis et aperçus la gigantesque Leandra sous une burqa lavande, un sac en bandoulière déséquilibrant son corps vers l'avant, dans lequel je devinai de grosses pierres pointues.

Je n'aime pas les pieds. Je ne trouve pas ça beau, même quand ils sont parfaits. Après l'âge de trois ans, ils se déforment, s'élargissent, s'usent, se rétractent, s'abîment et finissent par n'être qu'un ramassis de peaux mortes engoncé dans des souliers puants. Mais voilà ce que je vois. Des dizaines de pieds sales s'agitant devant moi, à la hauteur de mon visage, puisqu'on a fendu le sol pour m'y emprisonner. Je ne sais pas pourquoi mais je creuse avec mes ongles. Je creuse vigoureusement la terre au niveau de mes hanches et, déjà, je sens la chair de mes doigts s'irriter. Brûler. Se déchirer. Je creuse et je regarde des pieds s'agiter. Je ne sais pas quand la première pierre rebondira sur mon crâne mais j'ai envie d'y être pour ne plus y penser, j'ai envie que les pierres tuméfient mes paupières, j'ai envie de saigner du front, des lèvres et du nez, j'ai envie que mes larmes et la poussière du sol s'agglutinent et m'empêchent de voir les cafards en transe, j'ai envie de mourir vite parce que, là, j'ai peur.

On s'agite mais on ne me tue pas encore. On se coudoie pour être au premier rang. Leandra est sur la droite, le sac de cailloux à ses pieds et une grosse pierre dans la main. En la regardant peut-être pour la dernière fois, je songe à toutes les choses ordinaires que je ne ferai jamais : poser devant un monument à Paris, apprendre à nager dans la Méditerranée, monter dans un avion pour l'Afrique, courir sur le sable les cheveux lâchés et éviter les vagues de justesse. C'est absurde, pourtant c'est à ça que je pense pour avoir moins peur.

Autour de moi, on continue à s'agiter. Un brouhaha indistinct s'échappe de la foule, un brouhaha qui n'a rien d'enthousiaste, rien d'habituel. J'essaye d'en entendre le plus possible mais on se bagarre au deuxième rang, des voix contestent au troisième, des mains se lèvent au quatrième et on se retourne du premier pour voir ce qui s'y trame. Les pierres choisies par le juge sont-elles trop lisses ? N'y en a-t-il pas assez pour tout le monde ? Réclament-ils que l'on me fouette avant de me lapider ? Qu'ai-je encore fait pour les fâcher ? Une querelle éclate entre un notable en robe blanche et un groupe de jeunes hommes en haillons, je discerne des bribes de phrases mais rien qui ne m'informe vraiment. Et puis les échanges se font plus vifs entre ceux qui ne veulent plus et ceux qui veulent toujours. Mais que ne veulent-ils plus, au juste ? Je n'ose y croire. Entre les hurlements des fanatiques qui menacent les protestataires de connaître le même sort que le mien et les vociférations de colère d'hommes et de femmes en transe, métamorphosés, Leandra panique alors que je trépigne. L'on réclame au juge de faire taire la jeunesse et aux gardes de la cravacher.

J'entends à présent très distinctement les appels au pardon, à la miséricorde de Dieu, à l'indulgence, certains sollicitent même une grâce du juge, confus et sur le point de défaillir. Le ton comminatoire, les barbus le somment d'accomplir les desseins du Tout-Puissant, ils le pressent de parler, de confirmer la condamnation et de jeter la première pierre. Seniz se joint à eux, elle le harcèle et l'exhorte, s'engouffre dans son regard pour mieux l'envoûter, lui rappelle la signification de chaque pierre et lui demande de me tuer sinon elle dira tout. Dans un chaos inextricable, écartelé entre les imprécations des uns et l'inespéré soulèvement des autres, je croise le regard du juge dans lequel je plonge à mon tour. Privée de l'usage de mon corps, je l'attrape avec mes yeux, le cramponne, le harponne et le gifle pour le ranimer. Je suis là, je suis la même qu'hier, je suis Bilqiss, la coupable innocente, je suis l'éternel petit caillou dans sa chaussure, la femme qu'il a aimée, aime et regrettera, je suis celle qu'il doit sauver pour rompre avec le mal et réparer les ravages du passé. Le tumulte s'accroît, les voix s'échauffent, les langues se délient, je n'entends plus rien, le juge se barricade derrière ses avant-bras, il n'en peut plus, il hurle indistinctement sur ceux qui veulent encore et ceux qui ne veulent plus mais, cette fois, le silence radical, son préféré, ne s'instaure pas. La jeunesse crie plus fort. Mon camp semble avoir gagné. Mais que s'est-il passé ? Dans ma tête, tout explose comme quand on casse le triangle sur un billard. À quel moment ai-je touché leur cœur ? Qu'est-ce qui a ravivé leur âme ? Alors, je ne veux plus mourir. Je veux vivre. Je veux réaliser toutes les choses ordinaires de la vie. Je veux que Leandra m'aide à partir d'ici. Je reviendrai, je le promets, mais avant cela je veux courir cheveux au vent et qu'ils me giflent le visage comme dans un film qui finit bien. Mon corps n'en peut plus d'être figé. J'exulte avec ma tête, que je remue en tous sens. J'ai peur qu'ils changent d'avis. J'appelle Leandra mais le désordre qui règne sur la place embrouille les esprits. Le sien, notamment. Elle ne comprend rien, ni notre langue ni nos manières, s'effraie d'une telle effervescence, s'affole, ses mains tremblent, celle qui tient la pierre aussi, celle qui tient la pierre surtout, et voici qu'elle commence à lever son bras athlétique, trop musclé, trop puissant, que j'avais repéré lors de ses visites et auquel j'ai demandé de me tuer plus vite. Je dis « non » avec ma tête, elle n'entend rien, ma voix est absorbée par les cris de la foule. Je hurle de toutes mes forces pour qu'elle ne la lance pas mais, obéissante, elle l'a déjà fait. Il est trop tard, la grosse pierre anguleuse est en vol. Sa trajectoire est parfaite. Comme prévu, elle devrait d'une seconde à l'autre venir se fracasser sur ma tempe droite pour me faire perdre connaissance rapidement. Enterrée jusqu'au cou, je n'ai aucun moyen de l'esquiver, je ne peux que la subir et la regarder grossir. J'abrège ma dernière prière à Allah, hésitant entre un fayot « merci » et un absurde « pourquoi ». Je deviens soudainement très prosaïque dans ma foi. Je ne me compromets pas. Je me contente d'un très neutre « Allah est le plus grand ». C'est bien, grand. C'est beau, c'est fort, c'est imposant, c'est commode et ce n'est pas petit. Oui, « Allah est le plus grand » seront mes derniers mots parce que, après tout, je ne suis pas sûre de pouvoir faire mieux. D'en avoir le temps non plus. Leandra a visé juste. La pierre approche. Elle tient ses promesses. Je ferme les yeux. Pas joliment. Plutôt comme une grimace, en crispant mon visage. Et j'attends. J'attends de mourir au plus vite. J'attends. Je m'attends à avoir mal. J'attends. J'attends cette première pierre. J'attends et, à la place, j'entends un fracas. Puis un bruit sourd comme si, à l'intérieur de mon crâne, tout explosait. Mais je n'ai pas mal. J'ai peur mais pas mal. Je suis terrifiée à l'idée d'être morte. Alors je rouvre les yeux. Et je tombe nez à nez avec lui. Avec le juge. Avec mon juge. Une mare de sang nous sépare mais il ne s'écoule pas du bon crâne. Le mien est intact. Du sien, il s'en répand des litres. Dans la confusion, je continue à croire que je meurs et que son visage, qui n'a jamais été aussi près du mien, n'est qu'un mirage. J'attends mais le mirage persiste. À présent, je sens son souffle sur ma peau. De sa bouche s'exhale un souffle froid et haletant. Il ouvre les paupières. Son regard est plus ardent que jamais. Fixés dans les miens, ses yeux confessent n'avoir jamais regardé là où il fallait. Posées sur les miennes, ses lèvres promettent d'autres sons. Le juge, mon juge, absorbe l'air que je lui insuffle et, dans un dernier soupir, me murmure :

« Mes cinq piliers étaient construits sur du sable mouvant. T'avoir aimée en a renforcé le socle. Cela m'a éloigné des dogmes mais rapproché de ma foi. Je pars la conscience lourde mais, grâce à toi, le cœur léger. Aimer comme je t'ai aimée, Bilqiss, est la preuve tangible qu'Allah existe. Mourir pour toi sera mon salut. Et, s'il t'est impossible de m'aimer en retour, que mon passage ici bas alimente au moins le terreau de ta vie future. Laisse-moi être le feu qui animera tes combats. Combats-les, Bilqiss, combats-moi. »

Remerciements

Merci à mon père Boualem Azzeddine de m'avoir saoulée toute ma jeunesse avec des conversations interminables sur les choses de la vie, d'avoir ensuite éveillé en moi une curiosité jusque-là inassouvie, de m'avoir karchérisée de culture avec ses moyens à lui, de m'avoir écrit des poèmes avec des fautes d'orthographe quand j'étais triste, de m'avoir sagement transmis sa religion plutôt que de me l'imposer bêtement et d'avoir eu une foi incommensurable en sa femme, en ses filles et en ses fils.

Cet ouvrage a été composé
par Maury à Malesherbes
et achevé d'imprimer en France
par CPI Brodard et Taupin
à la Flèche (Sarthe)
pour le compte des Éditions Stock
31,rue de Fleurus,75006 Paris
en février 2015

Stock s'engage pour l'environnement en réduisant l'empreinte carbone de ses livres. Celle de cet exemplaire est de :
700 g éq. CO_2
Rendez-vous sur www.editions-stock-durable.fr

Imprimé en France
Dépôt légal : mars 2015
N° d'édition : 01- N° d'impression : 3009472
72-51-7779/7